ちくま新書

生きるための論語

安冨 歩
Yasutomi Ayumu

953

生きるための論語【目次】

序

いま、多くの古典は、我々が日常的に繰り返しその言葉をたどることによって、様々な思想や感情を喚起する精神的源泉であることを既に止めてしまい、単に歴史学者に研究材料を提供する古文書に成り下がってしまった。安冨さんの『生きるための論語』に序を寄せるにあたって、なぜ古典の解釈が生き生きとした智慧の泉になり得なくなったのかを少し考えてみたい。

そしてそのために少々迂遠《うえん》に見えるかもしれないが、『論語』と並んで日本で最も有名な漢文文献『般若心経《はんにゃしんぎょう》』ついての話からはじめたい。その『般若心経』に対して、私の師である丘山新先生は大変ご不満であった。『般若心経』は膨大な般若経典のエッセンスを抽出したものと一般には考えられているのだが、先生曰《いわ》く、『般若心経』は般若経典の本義を歪曲している、「一切皆空《いっさいかいくう》」なんて子供でも分かる理屈に何の意味が有るのか、と。

私が、それでは般若経典の本義とは何でしょうか？　と尋ねると、先生曰く、そりゃあ般若だよ、と肩すかしの答え。それでは般若とは何でしょうか？　と尋ねると、先生曰く、般若は智慧です。

先生の説では、般若経典が、世の中と人間の有様を見切って悟りに至るための智慧を追求するものであるのに対し、『般若心経』の「一切皆空」は既に悟りを得て知られた結論に過ぎない。我々が渇望しているのは、世の中を見切る智慧を獲得することであり、問題は、我々が如何《いか》にして悟りに至ることが出来るか、である。見切って得られた結論「空」と、見切る能力「般若」との間には、天と地ほどの差が有る。『般若心経』は、魚拓だけ並べて、魚釣りの方法を全く教えない『釣り入門』のようなものだ。

『般若心経』の「空」と「般若」との区別は、色々な場面に応用できるが、私が専攻としている古典学史の研究においても、有効である。ヨーロッパの古典学が神学と不可分であったのと同様に、経学と呼ばれた中国の古典学は、思想的探求を不可分の内容として含んだ。社会秩序維持を関心の中心とした中国の学術と、個人の精神的救済を目指したヨーロッパの神学とでは、内容的に全く異なるが、これらの学問が成り立っている構造は共通である。簡単に言えば、経典のテキストを校訂し、その言葉を研究し、文の解釈を検討する古典解釈学の基礎の上に、そこから読み取られる内容に整合性・体系性を与える神学・経学理論が研究されている。

重要なのは、この際、古典解釈学が独立に経典テキストの意味の研究を完結させ、その成果を利用して神学・経学理論研究が行われている訳ではなく、神学・経学理論研究の過程において、経典テキストの解釈を調整する要請が絶えず発生し、それが古典解釈学を強く規定していることである。これは、いわゆる解釈学的循環の問題に他ならない。そして、この循環の過程にこそ、解釈の生命が宿っているのであって、『般若心経』の譬えを借りるなら、我々はそこにこそ「般若」を見るべきなのであり、神学・経学理論研究は「空」の一字に過ぎない。

ところが、近代に至ると、神学や経学は、その思想内容が人間の自由を抑圧する強権的なものとして批判され、神学・経学そのものがほぼ否定されてしまう。しかし、古典テキストの一文一文の意味を個別的に理解することは不可能で、そこにはやはり理解の整合性・体系性を保証する何らかの理論が必要とされる。近代において、空白となった神学・経学の位置を乗っ取ったのは、歴史学であった。古典というのは、単なる歴史文献であって、その客観的分析を通して、歴史の真実に近づくことができる、という主張が、近代においては大きな力を持った。

本来、学問が成り立っている構造から考えれば、歴史学も神学・経学同様の内容理論体系であり、その思想内容が、宗教的・政治的傾向性を避け、客観的であることを指向しているということがそのまま、古典解釈学の客観性を保証することにはならない。多くの人は、歴史学の内容理論体系に無自覚に依存する古典解釈が、客観的に正確であり得ると錯覚しているが、実は、神学・経学時代の人々も、神学・経学を背景とした古典解釈が客観的に正確であり得ることを疑ってはいなかったのである。その意味で現代の歴史学的な解釈学が神学・経学的なそれよりも「正しい」とは言えない。

更に残念なことに、歴史学が客観主義を標榜《ひょうぼう》したが為に、解釈活動自体が委縮《いしゆく》してしまい、解釈の循環はほぼ止まってしまうに至った。宮崎市定の『論語の新研究』は、自らの歴史学理論体系と『論語』との間に壮大な解釈の循環を起こして見せた稀有《けう》な例であるが、宮崎先生の名声と影響力を以てしても、このような解釈は、学界から敬遠される運命を免れなかった。『論語の新研究』を眉唾《まゆつば》で見る多くの人が、歴史学を眉唾で見る必要に気づいていないことは、何とも可笑《おか》しい。

かくして、解釈の循環を忘れた現在の歴史学や古典研究は、いかにも魅力に乏しく、その空虚を埋める代替物として世の中に提供されているのは、魅力に欠ける上に説得力も無い「新しい」歴史や、在り来たりで深みも無い人生訓を繰り返すだけの古典解説である。このような状況は、我々にとって大いなる不幸である。私は、古典の泉が、もう一度息を吹き返すことを願わずにいられない。

近代以来、『論語』の解説書も数知れないが、その多くは「新しい」歴史か古臭い人生訓に過ぎなかった。安冨さんは、経済学や複雑系などの研究を通して、如何にして人間は幸福に生きられるのか、という最も重要で根本的な問題を、最先端の方法で研究してこられた。そのような研究の蓄積を背景において、『論語』という古典も読んでこられた。そして、何とか『論語』から新たな智慧を引き出そうと、努力を積み重ねてこられた。安冨さんが本書で提示しているのは、正にその生きた「智慧」であり、「空」のような智慧の抜け殻でもなければ、言い古された人生訓でもない。本書は又、久しく枯渇して歴史文献とされている『論語』を、再び精神的源泉としての古典に蘇らせようとする試みでもある。多くの読者が本書に触発されて、人と古典との間に、智慧の泉が滾々《こんこん》と流れ出すことを私は夢見る。

北京大学歴史学系教授　　橋本秀美

第1章

学而時習之——学習とは

†小論語

『論語』は、東アジア最重要の古典である。この本から我々は、どれだけの影響を受けてきたかわからない。

この書物を伊藤仁斎《いとうじんさい》（一六二七～一七〇五年）は「最上至極宇宙第一の書」と評したというが、私も同じ意見である。また、その冒頭「学而」の一章を、仁斎は『論語古義』において論語の中の論語、「小論語」と評したが、私も同じように考えている。

子曰。學而時習之。不亦說乎。有朋自遠方來。不亦樂乎。人不知而不慍。不亦君子乎。

このわずか三二文字の中に、『論語』という巨大な宇宙を支える基本思想が凝縮されている。その基礎概念は言うまでもなく「学」と「習」とである。

これに対する伝統的な読みは、色々な学者によって言うことが微妙に違うが、だいたい、似たようなものである。たとえば岩波文庫の金谷治（一九九九）は次のように訳している（なお、本書での『論語』の章の区切り、白文については原則として金谷（一九九九）にしたがった）。

【金谷訳】先生がいわれた、「学んでは適当な時期におさらいする、いかにも心嬉しいことだね。〔そのたびに理解が深まって向上していくのだから。〕だれか友だちが遠い所からもたずねて来る、いかにも楽しいことだね。〔同じ道について語りあえるから。〕人が分かってくれなくとも気にかけない、いかにも君子だね。〔凡人にはできないことだから。〕」

伝統的な解釈では、「学」は何かを教えてもらう、勉強することであり、「習」は練習したり、復習したりすることであり、「人不知」は他人が自分を認めてくれない、という嘆きである。

しかし私は、このような解釈ではしっくりこない、と思う。というのも、私はそもそも勉強が嫌いだからである。その上、復習や練習はもっと嫌いであり、そんなことをやっても、よろこばしくなったりしない。それに、人が認めてくれるかどうかという問題に言及している段階で、あまり立派な感じがしない。学問というものは、そういうものではない。

勉強や復習をして、それ自体で、よろこばしくなる人は、どのくらいいるのだろうか。もしいるとすればその方に、「それは、本当によろこばしいのですか」と私は聞きたい。

どうもそれは、勉強すると親が喜ぶから、とか、復習をいっしょうけんめいやると、先生に褒めてもらえるから、とかいうような体験が、無意識にまで深く入り込んだ結果ではないか、と疑うからである。

儒家は、外部からの強制をよしとしない。それは法家の発想である。それと同時に、無為自然をもよしとしない。それは老荘の発想である。儒家は、人間の本性に根ざしながら、それに基づく作動を他者と調和させ、学習して成長する道を求める。

†「学」のあやうさ

他人との調和を生み出すためには、確かに学ぶことが必要である。たとえば言葉を学ばないと、誰とも話ができないのであるから。しかし、学ぶだけではいけない。それでは学んだことに拘束されてしまうから。それゆえ孔子は、

子曰、學而不思則罔、思而不學則殆。（為政第二、一五）
子曰《いわ》く、學んで思わざれば則ち罔《くら》し、思いて學ばざれば則ち殆《あやう》し。

と言うのである。これは、

先生は言われた。学んで、考えなければ、とらわれてしまう。考えるばかりで、学ばなければ、あやうい。

という意味である。俵木（一九九〇、七七～八一頁）には「罔」がもともと禽獣魚類《きんじゅうぎょるい》をとらえる網を意味する文字であったことから、心が網に掛けられて身動きがとれない状態を表現する、とした。私はこの解釈に従いたいと思う。つまり、何かにとらわれて、がんじがらめになって身動きがとれない状態が「罔」なわけである。

そういうわけで、論語のいう「学」は、このような呪縛の契機を含んでいることがわかる。学ぶというのは、そういう危険な行為なのである。それゆえ、学んだことを、無反省に、一生懸命に復習したり練習したりすることを、孔子が薦めていたとは考えにくい。そもそもそれは、あまりやる気のしない行為であり、人間の本性に反する。

†「習」の意味

とすれば「習」とは一体、何のことであろうか。論語には「習」という字はあと二回しか用例がない。

曾子曰、吾日三省吾身、爲人謀而不忠乎。與朋友交而不信乎。傳不習乎。（学而第一、四）

曾子曰く。吾れ日に吾が身を三省す。人の爲に謀《はか》りて忠ならざるか。朋友と交わりて信ならざるか。習わざるを伝えしか。

子曰、性相近也、習相遠也。（陽貨第十七、二）

子曰く、性は相近く、習は相遠し。

後者の用例は意味がわかりやすい。「性」というのは人間がもって生まれたものである。もって生まれたものは互いによく似ている、というのである。それに対して、「習」は互いに遠い、という。つまり、人間は生まれつきとしてはお互いに違うものではないが、育った環境や経験などで身につくものによって、互いに離れていく、というのである。ここから考えるに、「習」という言葉は「後天的に身につく」を意味する。

一方、前者の用例を見ると、「習わざるを伝えしか」ということで、これは「十分に身についていないことを、人に伝えたのではないか」という意味である。それゆえこの二つの用例から見て、「習」というのは、「身につく」と解釈して誤りではあるまい。

ということは、「學而時習之」の「習」も、「練習」とか「復習」とか読むのは不合理である。「性」に対して「習」であるから、あくまでも「身につくこと」と解釈すべきである。とすれば、「學而時習之。不亦說乎。」の意味は、

何かを学んで、それがあるときハタと理解できて、しっかり身につくことは、よろこびではないか。

ということになる。私はこれに完全に同意する。これはどんな人間にとっても嬉しいことである。これは人間の本性に適《かな》っている。学んだことが、それだけでは身につかず、時を置いてあるとき、ふと、身についている、そういう風に人間は学習するものであり、そのときに喜びを感じる生き物である。学習を通じて成長することに、人間は喜びを抱く。これがその本性である。

†「学」から「習」への飛翔

「学」という段階では、受け取ったものが何なのか、学ぶ者にはまだ意識化されていない。

より正確に言えば、細部に意識が集中してしまうことによって、全体が無意識化されてしまっている。ここには余計なものが染み込んでおり、この行為によって魂は多かれ少なかれ、呪縛されている。

それがある時、「習」によって完全に身体化される。すなわち、細部が身体化され、無意識化されることによって、逆に全体が意識化され、「ああこれか」とわかるのである。そうなることによって、不必要なもの、余計なものは解除される。こうして呪縛から抜けだしたときに、人は学んだことを自由に駆使できるようになり、喜びを感じる。またよろこばしからずや。

このような見方は唐突に見えるかもしれないが、たとえば楊樹達（一八八五〜一九五六年）という偉大な学者は、その主著『論語疏證』において、

学而時習，即温故也；温故知新，故説也。

と述べている。「温故」はまさしく、既に知っていることをじっくり身につけることであり、「知新」はそこから新しい意味を見いだす、という意味である。それが「学習」なのである。楊樹達の解釈は、私の理解と基本的に同じ方向を示している。（楊 二〇〇七、一

頁）

†なぜ朋が遠方から来るのか

古来の解釈には、他にも大きな問題がある。それは、二番目の文、「有朋自遠方來。不亦樂乎。」が、最初の文とどういう関係にあるのかよくわからないのである。学習の話をした直後に、どうしていきなり、友だちが遠くから訪ねてくる話になるのであろうか。よくある説明は、そうやってしっかり学問を積んでいれば、そのうち名前が売れて、遠くから人が訪ねてきてくれるレベルになるのだ、ということであるが、どうもこじつけのように私には思われる。

私は、これを学習の過程の比喩的表現だと解釈する。「学」によって何かを身に帯びている段階では、学んだことの本質と、まだ出会っていない。たとえば水泳のクロールを学んだとしても、最初はぎこちない動きしかできない。その段階では、自分のものになっていないので、クロールとは、まず右手を前に出して、次に体の下を通して水を後ろにかいて、最後までかいたら、空中を回して前に持ってきて、次に左手で……、というようなこととして、意識されている。それでも、クロールというものを知らないわけではなく、ちゃんと学んで知ってはいる。

その後にクロールを続けて泳いでいるうちに、ある時ふと、手が水をうまくつかまえて強い力が生じ、グイッと推進できるようになる時が来る。それが「習」である。このとき人は、クロールの本質と出会う。

それはまるで、昔から知り合いだった友人のクロール君が、突然、遠くから訪ねてきてくれたような感じがしないだろうか。いやいや、よく来てくれたなあ、という感じがして、楽しくて、嬉しくてたまらないのではないだろうか。このように考えれば、なぜいきなり、「学習」の話から、「朋」の話になるのか、整合的に理解することができる。

†人は何を知らないのか

そうすると三番目の、

人不知而不慍。不亦君子乎。

は何を意味しているのだろうか。私は伝統的解釈が、「人不知」を、他人が私のことを知ってくれない、とするのがなによりも腑《ふ》に落ちない。

「不知」という単語は何度か論語に出てくるが、ここ以外では、「他人が自分のことを知

ってくれない」というようには解釈されていない。たとえば、

子曰、不患人之不己知、患不知人也。(学而第一、一六)

というように、「不己知」「不知人」という具合に、誰を知らないのか、「己」「人」と目的語が明示されている。「人不知」を、「人が(私のことを)知ってくれない」と恣意的に「私のこと」を加えるのは、勝手読みというものである。それゆえ、「人不知」は、「人が知らない」とそのまま読むべきである。

「慍」というのは、つくりが「温」(温)」と同じで「熱くなる」という意味であるから、これは心が熱くなる、という意味である。心が熱くなるというのは、つまり憤激したり、悲しんだり、ということである。それゆえ、「人不知而不慍」は、「人が知らないでいるからといって、憤激したり、悲しんだりしない」ということになろう。

では、「人不知而不慍」というのは、人が何を知らなくとも「慍」しない、と言っているのであろうか。「不知」の対象は何であろうか。

今、議論しているのは、「学習の喜び」についてである。第二文の「朋」の件も、学習の喜びの比喩なのであるから、同じ話題は続いている。このことを念頭に置けば、ここで

「知らない」という対象としては、二つの可能性がある。

ひとつは、自分が既に学び、習ったこと、である。何かを学習した人が往々にして陥る愚行は、自分が学習したことを、未だに知らないでいる人を見たら、急に偉くなった気がして、相手をバカにしたり、見下したりしてしまう、ということである。こういう見下げた感情も「慍」に入れて良いと私は思う。

二番目は、「学習の喜び」そのもの、という解釈である。とすればこれは、「人が学習の喜びを知らない」ということになる。人が、学習の喜びを知らないのを見ても、憤激しない、ということである。

それゆえ三番目の文は、

他人が知らないからといって、「こいつ、わかっとらん！」などとブチ切れたりしない。それはまったく君子ではないか。


という意味になる。

なるほど、そのとおりだ、と私は思うのである。人というものは、何か自分が身につけた、と思うと、それがわかっていない人を見ると、カッとなったり、見下したりしてしまうものである。あるいは、学習の喜びに目覚めたなら、そのよろこびなど認めようとしないわからず屋を見ると、カッとなってしまいがちである。

しかしそういうときに、瞬間湯沸かし器のように熱くならないで、落ち着いていられるようなら、それは君子だと言って差し支えない。そうしてはじめて、他人の学習回路を開くことも可能になる。

†「小論語」の意味

以上のように考えれば、論語冒頭の章は、実にわかりやすく、意味が通っている。そういうわけでこの章の私の読み下しと解釈は以下である。

子曰く、學んで、時にこれに習う。また説《よろこば》しからずや。朋、遠方より來たるあり。また樂しからずや。人、知らずして慍《いか》らず。また君子ならずや。

先生が言われた。何かを学び、それがある時、自分自身のものになる。よろこばしいことではないか。それはまるで、旧友が、遠方から突然訪ねてきてくれたような、そういう楽しさではないか。そのよろこびを知らない人を見ても、心を波立たせないでいる。それこそ君子ではないか。

この「学習」という考えは、論語の秩序論の根幹を為す。この章が示すように、学習過程が開かれていることが、君子の条件である。逆にそれが停止している人を「小人」というのだと私は解釈する。

†君子による秩序の形成

孔子の考えでは、君子が社会の中枢を担《にな》っていることが、社会秩序形成の基礎である。

哀公問曰。何爲則民服。孔子對曰。擧直錯諸枉、則民服。擧枉錯諸直、則民不服。
（為政第二、一九）
哀公《あいこう》が問うて言った。民衆はどのようにすれば服するだろうか。孔子、こたえて曰く。直なる人を、枉《ま》がった人々の上に置けば、民は服します。枉がった人を、直なる人の上に置けば、民は服しません。

「直」を「君子」と解して良いかどうか議論が必要だが、少なくとも、「直」は「君子」たるための必要条件だとは言えるだろう。

君子が居れば、周辺の小人はそれに感化されて学習過程を開く。

君子之徳風也、小人之徳草也。草上之風必偃。（顔淵第十二、一九）

君子の徳は風で、小人の徳は草である。草の上に風が吹けば、必ずやなびく。

ということになる。そうなると、小人もまた心を開いて学習過程を作動させ、君子のように振る舞う。こうして社会に秩序が生まれる。

これが儒家の言う「徳」による統治であり、その場合には人の振る舞いが「礼」に適っている。そういう徳が満ちている状態が「仁」である。あるいはまた、そのような学習過程が開いた個人の状態をも「仁」という。仁者は心がいつも安定しており、自分自身であることを失わない。それが「忠恕」であり、そういう人の発する言葉は、その人の心から乖離《かいり》しない。その状態を「信」という。この点は後で確認しよう。

このようなビジョンが論語の思想の根幹だと私は考えている。このような理解は伝統的な理解と多くの点で異なっており、突拍子も無いように視《み》えるかもしれないが、実はこのように解釈することで、論語の多くの読めない箇所が明確に読めるようになる。それを以下ではいくつかの章句をとりあげて確認する。

†学習に基づいた社会秩序

私の見る限り、この『論語』はこの「学習に基づいた社会秩序」という思想を、最も早く、最も明瞭に表現した書物である。しかし、私は、これが孔丘《こうきゅう》という人物の独創だとは思わない。それは、彼自身が繰り返し、自分の思想は、古の聖人の教えそのままなのだ、と言っているとおりだと思う。孔丘がそれ以前の聖人と違ったのは、その言語が文字として記録された点である。それも、彼自身が書いたのではなく、彼の弟子やその弟子が書き留めたものである。

人間社会が人間の学習能力によって秩序化される、という思想は、おそらく、人類社会に普遍的に見られ、あらゆる時代のあらゆる場所で知られていることではないかと思う。そしかし往々にして人類は、学習過程を停止する誘惑に駆られ、常にそれを忘却する。そして学習過程の停止こそが「規範」であり、その作動は「逸脱」である、という邪説を広めようとしてきた。

そのために「学習」の思想は、発見されては忘れられ、再発見されて忘れられ、という過程を繰り返してきた。論語の思想にしても、ここ二千年くらいは、むしろ学習を停止させる方向で読まれてきた。しかし、それでも古典というものは、いつも生命を回復させる。

論語は、繰り返し、新しい生命を吹きこんで、思想を蘇らせてきた。
現代の我々はこの思想をまさに必要としているのではないだろうか。

第2章

是知也——知とは

†知之為知之

論語の思想のもう一つの根幹は、その知識論にあると私は見ている。それは次の一章に凝縮的に表現されている。

子曰、由、誨女知之乎。知之爲知之、不知爲不知、是知也。（為政第二、一七）
子曰く、由《ゆう》や、女《なんじ》に之を知るを誨《おし》えんか。之を知るを之を知ると爲し、知らざるは知らざると爲す、是れ知るなり。

加地（二〇〇四）はこれを次のように訳す。

老先生の講義。由君よ、君に〈知る〉とは何か、教えよう。知っていることは知っているとし、知らないことは正直に知らないとする。それが真に〈知る〉ということなのだ。

楊伯峻（一九八〇、一九頁）の解釈も掲げておこう。

孔先生がおっしゃった。「由よ。おまえに知と不知に対する正しい態度を教えようか。知っているは知っている、知らないは知らないとする、これが聡明で智慧がある、ということだ。」

おおむね、これらが伝統的な解釈である。

ここで大切なのは、最後の一句「是知也」である。この「知」は最初の二句の「知」とはレベルが異なっている。そこで加地は「是知也」の「知」を〈 〉に入れて区別し、楊はこれを「智」と書いて区別している。

津田左右吉《つだそうきち》（一八七三〜一九六一年）（一九四六、一五八頁）や白川静（一九九一、二八一頁）の指摘しているように、荀子《じゅんし》の「儒教篇」と「子道篇」に、

「知之曰知之、不知曰不知」

という二句がある。津田も、白川も、これと論語の文章とを同一視している。

それは楊も同じであり、「知」を「智」と看做《みな》す根拠として荀子子道篇を挙げている。

加地が「正直」という概念を用いているのも、同じ立場にあることを示唆する。（なお、程樹徳（一九六五、上九七頁）によれば、韓詩外伝巻三にも全く同じ文がある。）

†論語と荀子との違い

しかし私は、荀子の文章と論語の文章とは、二つの点で大きく異なっていると考える。第一に、論語では、之を知るを之を知ると「為《なす》」となっているのに対して、荀子では「曰《いう》」となっている。つまり、論語では自分が知っているのか知らないのかを自分で感知する、という意味であるのに対して、荀子では知っていることを知っていると他人に言う、という伝達の問題になっている。この違いを軽視してはなるまい。

次に、この二句に続く一句が論語と荀子とで異なっている。荀子の「子道篇」では孔子と子路《しろ》のやり取りが詳しく示されている。そして、「故に君子はこれを知るをこれを知ると曰い、知らざるを知らざると曰う」に続けて、

言の要なり、

となっている（故君子知之曰知之、不知曰不知、言之要也）。「言」というのだから、これ

は明らかに、他者への伝達の問題である。
荀子の「儒効篇」では「知之曰知之、不知曰不知」に続いて、

内自ら以て誣《し》いず、外自ら以て欺かず、(内不自以誣、外不自以欺)

となっている。これは、自分をも他人をも欺いてはならない、という意味である。こちらは自らの「内」と、他者への伝達たる「外」の両方に言及しているが、「曰」を用いている以上、伝達に重きが置かれていることは間違いなかろう。

これに対して論語では、「これを知るをこれを知ると為し、知らざるを知らざると為す」に続けて、

これ知るなり、

という「知」の定義を与える断定が続く。これを無理に式で書くと、

知＝(知／不知)

ということになる。（／）という記号は、カッコ内の二項を峻別する、という操作を示すものとする。この式では、「知」を定義するのに「知」が用いられていて、これは自己言及していることになる。

「是知也」の知を、加地が「〈知〉」と書き、楊が「智」と書いて区別しているのは、上の式の自己言及を、

智＝（知／不知）　あるいは〈知〉＝（知／不知）

という形で回避するためであると考えられる。確かにこうすれば、「智」や「〈知〉」が「知」によって定義されているので、自己言及は回避できる。

しかし、論語の文章が両辺の「知」を書き分けていないことは事実であり、これを安易に改変するのは望ましいことではない。楊伯峻（一九八〇）は「もし『知』を字の如く読めば、これがすなわち知と不知に対する正しい態度である、とでも訳すべきであろう」と注釈しているが、これでは「是知也」は冗長な繰り返し表現に過ぎないものとなる。

しかし私は、孔子がここで敢えて自己言及的表現を用いていることを、そのまま受け止

めるべきではないかと考える。つまりこの章句は、

知＝（知／不知）

という定義式ではなく、

（知／不知）→知

という〈過程〉あるいは〈運動〉として見るべきではなかろうか。

†「知」という過程

するとこの章は、〈子路自身が、「知」と「不知」を分別しえたとき、子路のなかで「知」という過程が作動する。そしてそもそも、「知」とはこの過程の名称なのだ〉という教えだと解釈することができる。新たに産出された「知」は最初の「知／不知」に跳ね返って、また新たな「知」を創り出す。このような回路が繰り返し作動する。この全体が「知」である。

「是知也」という断定によって、最初の「知」の意味が変化し、「知」が知っているという状態であるとともに、「知」と「不知」を分別するその過程でもある、というように意味が膨らむ。このとき、変化しているのは「知」の方ではなく、知ると知らざるを分別している「私」自身である。言葉の論理展開とともに、それを展開し理解する「私」が変化し、その変化が言葉の意味を豊かにする、というダイナミクスが生じている。

この自分自身の変化を伴う解釈の過程は、「学習過程」だと言ってよいであろう。自分自身の既存の枠組みの中に外部から何かを取り込むことが「学」であり、それが自分自身のあり方に変化を及ぼして飛躍が生じる瞬間が「習」である。上の図式では、「知／不知」という分別の過程が「学」であり、それが自らに跳ね返って「知」が変貌する瞬間が「習」に相当している。

†木村英一の発見

実はこの論理構造を見出したのは、私が最初ではない。木村英一（一九七五）は、論語のこの論理構造の重要性を指摘し、この章に註して次のように述べている。

知――孔子のいわゆる知とは、単なる対象認識だけではなく、自己の対象を知る知り方の自覚を伴わなければ真の知ではない。いわば自覚的認識の明晰化作用が知であって、自己反省を伴ってどこまでも展開して行く認識の追究が知である。だから常に謙虚に対象の見え方を重んじると共に、それに対して自己が納得し得るか否かをもあるがままに考察し、認識内容と同時にその限界をも知ることになる。

更に続けて、次のように指摘する。

○論語では概念を単に認識の対象としてとらえず、行動的に処理されるべき対象としてとらえている。そこでそれを表現するために、この文に見られるような逆説的表現が時々見られる。例えば衛霊公篇一五、「子曰、不曰如之何、如之何者、吾末如之何也已矣。」同二九、「子曰、過而不改、是謂過矣」等。

木村が「逆説的表現」と言っているものが、私の言う「学習のダイナミクス」に相当する。私はこのダイナミクスを、短い言葉で表現するのが、論語に特有の語法であり、それをそのまま受け入れることが、論語の全体を理解するための鍵ではないかと考える。

この語法の骨格を示せば、

(A／$\overline{A}$)→A

という形をとる。あるものごと「A」と、その否定「$\overline{A}$」を峻別することが、「A」そのものである、という形である。この語法は「知」に限られたものではなく、木村の指摘するように、他の概念についても見ることが出来る。ひとつは「過」である。

子曰、過而不改、是謂過矣。(衛霊公第十五、三〇)
子曰く、過ちて改めざる、是れを過ちと謂う。

この章を式に書き下すと次のようになる。

((過)→過)→過

つまり、「過」であるのに「過」のままでいることが、「過」である、という意味である。この式は、既述の学習の語法とは微妙に形式が違っているが、これは「過」が「学習」を否定形で表現したものだからだと考えられる。

次の章もまた学習の構造を成している。

子曰、不曰如之何如之何者、吾末如之何也已矣。（衛霊公第十五、一六）

子曰く、之を如何《いかん》せん、之を如何せんと曰わざる者には、吾之を如何ともする末《な》きのみ。

これは否定形で書かれているが、言いかえると、孔子が「如之何」と問う対象として「之」に代入できる者があるとすれば、それは自ら「如之何」と問うものである、という意味である。つまり、

如何（如何（之）→之）→之

となる。これをもう一度くり返せば、「如之何」と問うている孔子自身も、「之」となって「如何」に代入される。そのとき、「之」をどうにかすることが可能になる、という主張である。

この式はかなり形が違うが、「如何（A）」というのは疑問形であり、「（A／$\bar{A}$）」もまた「Aか、Aでないか」という疑問形と見ることが出来るので、本質的に繋がっている。白川（二〇〇七）によれば、「如」は祭器をもって祝禱する女性の形であり、神意を問う、というところから、「如何」が疑問を表すようになったという。とすれば、「如之何、如之何」という問いを発する状態は、「如」の心を持つのであるから、これは「恕」である。

学習のダイナミクス

私は、論語の思想の最も重要な特徴は、この学習のダイナミクスにあると考える。書き下された形の知識を求めるのではなく、書き下しえない微妙なダイナミクスに真理を求める。これが論語の魅力と、わかりにくさの源である。

この語法で構成されたメッセージは、それが「命令」になりえない、という特徴がある。たとえばこの章の「知」に関する教えそのものは、孔子から子路へのメッセージであるが、そこから先の探求の展開は、これを受けた子路自身に任されている。

これに対して、荀子の言葉はあくまで「かくあるべし」という命令文である。荀子の表現では、もし子路がまた知ったかぶりをしていれば、孔子が「お前は私の言いつけを守らなかったな」と叱りつけることが可能である。ところが、論語の表現では「知／不知」の分別はあくまで子路が自らの身体においてするものであって、他者たる孔子がとやかく言うことはできない。これがこの問答の気高さのゆえんではなかろうか。

以上の意味で、論語と荀子の表現はまったく違うものというべきである。単に正直に知らないことを認める、というだけなら、「是知也」と言う必然性がない。孔子は、単に心構えだけを説いたのではない。

津田に至っては、荀子の表現の方が整っているとして、論語が荀子よりも後に成立したことを示す傍証としてこの章を用いた。しかし、荀子の方こそが、論語の深い意味を汲み取りそこなった引用であることは、もはや明らかであろう。

†メノンのパラドクス

論語の知識論の重要な点は、「知る／知らない」という状態よりも、世界への認識の枠組みを遷移させる学習過程としての「知」を重視する点にあると私は考える。

この点については、プラトンの『メノン』に現れる探求に関するパラドクスと対比して考えるとより深く理解することができる。このメノンのパラドクスとは、次のようなものである。

人間は、自分が知っているものも知らないものも、これを探究することはできない。というのは、まず、知っているものを探究するということはありえないだろう。なぜなら、知っているのだし、ひいてはその人には探究の必要がまったくないわけだから。また、知らないものを探究するということもありえないだろう。なぜならその場合は、何を探究すべきかということも知らないはずだから。（プラトン　一九九四、四五〜六頁）

このパラドクスを、単なる屁理屈として片付けることはできない。認知心理学者のギブソンの指摘したように、外界から入ってくるバラバラのデータを処理して世界の像を構成する、というような素朴な認識論に立つと、常にこのパラドクスにとりつかれることになるからである。というのも、バラバラの二次元の視覚データと矛盾しない三次元世界の像は無数にあり、どれが本当かを決めることができないからである。それを決めるためには、バラバラのデータをつなぎ合わせる方法を事前に知らねばならないが、それはつまり、もともと本当の像がどれか知っているのと等価である。つまり、見えているものが何かを知っていれば見えるが、知らなければ何が見えているかわからない。(Gibson 1979, p. 261)

フリーマンというアメリカの脳科学者は、嗅覚に関する実験により、嗅球という神経細胞の塊の電位の変化を調べることで、

「何もにおいがない」、
「知っているにおいがある」、
「知らないにおいがある」、

という三つの場合にそれぞれ対応する、特徴的なダイナミクスのあることを発見した。「何もにおいがない」ときは、ランダムが対応し、「知っているにおいがある」場合は周期解に近い弱いカオス、「知らないにおいがある」ときには複数の周期解を渡り歩く運動が対応する。知らないにおいに動物が接した場合には、この渡り歩きの果てに、運動のあり方全体をつくりかえて、新しいにおいに対応する区分けが生じ、知らなかったにおいが知っているにおいとして落ち着きどころを見出すことになる。このとき、既に知っているに

おいに対する運動も変化する。このような働きを脳は持っているらしい。(安富 二〇〇六年、第一章参照)

この実験結果から、「知らないことを知らないとする」ということの重要性がわかる。「知らないものがある」と認識することで、探求の過程が始まり、新しい知識状態に向けて遍歴することが可能となる。

マイケル・ポラニーは、『暗黙の次元』という講義録のなかで、このメノンのパラドクスが二千年以上にわたって解かれておらず、暗黙に知ること(tacit knowing)を認めることによって解決される、と指摘した(Polanyi 1983, pp. 22-3)。このパラドクスは、全ての知識が明示的であるとすると、何も知ることができないことを示すからである。

論語のこの章は、メノンのパラドクスが、そもそも成り立たないことを、孔子がプラトンの生まれる前に指摘していたことを示している。「知」とは明示的な実体ではなく、「知/不知」を峻別する暗黙の過程の名称だからである。

†「是知也」の解釈

さて、以上のことを前提に、孔子の言葉をもう一度見てみよう。

子曰、由、誨女知之乎。知之爲知之、不知爲不知、是知也。
子曰く、由や、なんじに之を知るをおしえんか。之を知るを之を知ると爲し、知らざるを知らざると爲す。是れ知る也。

これは次のように訳すことができる。

先生は言われた。「由よ。おまえに「知る」ということを教えよう。「これを知る」は「これを知る」とし、「知らない」は「知らない」とする。これが「知る」ということだ」

この文章は、訳したところで意味が通じたりはしないのだが、これが何を意味するかは読者にはもはや明らかであろう。

楊伯峻（一九八〇、二五六頁）によれば、「知」という文字は論語に一一六回も出てくる。論語の基礎概念とするに足る頻度であろう。この卓抜な知識論が論語の根幹にある。

第3章

無友不如己者——君子の生き方

†君子不重——伝統的解釈

学習とは何か、知識とは何かを理解したところで、君子のあるべき姿を描き出す重要な箇所でありながら、読み方に異説の多い、読みにくい次の章を読んでみる。

子曰、君子不重、則不威。學則不固。主忠信、無友不如己者。過則勿憚改。（学而第一、八）

たとえば加地（二〇〇四）はこれを次のように読み下す。

子曰く、君子、重からざれば則ち威あらず。學びても則ち固ならず。忠信を主とし、己に如《し》かざる者を友とする無かれ。過ちては則ち改むるに憚《はばか》ること勿《なか》れ。

この箇所は、論語のなかでも有名な章であるが、どの解釈を見ても今ひとつ飲み込めない。例として、加地伸行（二〇〇四）、金谷治（一九九九）、宮崎市定（一九七四）の解釈を掲げておこう。

【加地】老先生の教え。教養人とはこうだ。重厚さすなわち中身の充実（誠実）がなければ、人間としての威厳はない。学問をしても堅固ではない。このように質《もと》の充実つまりはまごころを核とすることだ。〔そういう生き方をする〕自分と異なり、まごころの足りない者を友人とするな。もし自分に過失があれば、まごころに従ってすぐにも改めることだ。

なお、加地は独自の「小人擁護論」に基づき、「君子」を「教養人」、「小人」を「知識人」と訳す方針を採用しているが、私は全く賛成できない。

【金谷】先生がいわれた、「君子はおもおもしくなければ威厳がない。学問すれば頑固でなくなる。〔まごころの徳である〕忠と信とを第一にして、自分より劣ったものを友だちにはするな。あやまちがあれば、ぐずぐずせずに改めよ。」

【宮崎】子曰く、諸君は態度がおっちょこちょいであってはならない。人に軽侮されるからだ。学問をして、片意地にならぬことを身につけるがよい。友達には誠心誠意で付きあい、そうすることに相応しくない者は友達にならぬがよい。過失はあっさりあやまるべきだ。

念のために、楊伯峻（一九八〇）の現代中国語訳を日本語に訳しておこう。

【楊】孔先生は言われた。「君子たるもの、荘重でなければ、威厳がない。それでは読書をしても学んだことは堅固にならない。忠と信の両種の道徳をもって主となせ。自分よりも劣った人間を友達とするな。間違いがあれば、改正することを恐れるな。」

以上、どの解釈も、一字一句をとればわからぬでもないが、全体としての意味がうまくとれないのである。昔からなによりも問題にされているのは、

無友不如己者

という句である。これを普通は、

「己に如かざる者を友とする無かれ」

と読み下すが、「自分よりレベルの低い奴は相手にするな」というのでは意地悪な感じがする上に、もし全員がこの教えに従って、自分より劣ったものを友達にしないなら困ったことになる。というのも、自分より優れた人はこちらを相手にしてくれず、さりとて自分より劣った者は相手にしてはならない。これでは誰とも友達になれない。昔からさまざまな解釈によって切り抜けが図られているが、やはりこれは何かおかしい。

また、「君子たるもの」と始まりながら、前半の二句が「威厳がない」とか「固くない」とかの状態描写であるのに、後半二句が、「無かれ」「勿れ」と禁止であるのも落ち着きが悪い。できれば、「君子たるもの」で始まる以上、○○たるべからず、○○するなかれ、という否定命令が四回続いた方がリズムがよい。

「学則不固」の箇所には古来、

（イ）学んだら固陋《ころう》でなくなる、

（ロ）学んでも堅固でない、

という二つの読み方があって、決着がついていない。

私が今からやろうと思うのは、「学習」の観点から読んで、ここの意味を通じさせようという冒険である。ここから先は、あちこちで大回りを繰り返し、論語の基礎概念の再検討を展開することになる。どうか話の筋を見失わないように注意深く読んでいただきたい。

†過を改める

最初に簡単なところから取り掛かろう。それは解釈が一致している最後の一節、

過則勿憚改

である。間違っていたら、すぐに修正せよ、というのである。この句は違った解釈をする余地がない。

言うまでもないが、これは前節で述べた「学習」と密接に関係する。世界とのやりとりのなかで、自分のあり方の変更を恐れないことが、学習の大前提だからである。

論語には、自分の過ちを改めることの重要性を強調する文章が繰り返しあらわれる。その主要なものをここで見ておこう。

子曰、人之過也、各於其黨、観過、斯知仁矣。（里仁第四、七）
子曰く、人の過つや、各々其の黨《とう》に於いてす。過つを観れば、斯《ここ》に仁を知る。

「仁」については後に触れるが、これが論語の思想の中心概念であることは、誰もが認めるところである。「斯知仁矣」の「仁」は、たとえば楊伯峻（一九八〇）では新註に従い、後漢書呉祐伝で「人」となっていることを根拠として、「人となり」と解釈する。しかし、たとえば金谷（一九九九、七四頁）は、「斯知仁矣」を「あやまちを見れば仁かどうかがわかるものだ」と訳す。私は、その人が過ちを犯したときの対応の仕方で、その人が仁であるかどうかを知ることができる、と解釈する。「学習」の構えができているかどうかが、仁と密接に関係しているからである。

修正力の乏しい人間が、過ちを犯したときにどうするかも、書いてある。

子夏曰、小人之過也、必文。（子張第十九、八）
子夏曰く、小人の過つや、必らず文《かざ》る。

小人は、自分の過失を認めてしまうと、全人格を否定されたように感じる。それゆえ素直に過ちを認めることができず、言いわけをする。もちろん、過ちを認めない以上、修正することもできない。

もちろん仁者はこのようなことをしない。孔子の並み居る弟子のなかで「仁」をもって許されたのは、顔回ただ一人である（雍也第六、七）。その顔回の死後、孔子は魯の哀公と次のような問答を行っている。

哀公問、弟子孰爲好學。孔子對曰、有顏回者。好學。不遷怒、不貳過。不幸短命死矣。今也則亡。未聞好學者也。（雍也第六、三）

哀公《あいこう》問う、弟子孰《たれ》か學を好むと爲す、と。孔子對《こた》えて曰く、顏回《がんかい》なる者有り。學を好めり。怒りを遷《うつ》さず、過ちを貳《ふた》びせず。不幸、短命にして死せり。今や則ち亡し。未だ學を好むものを聞かざるなり、と。

ここで顔回の美点として孔子が挙げているのが、「學を好めり、怒りを遷さず、過ちを貳びせず」であり、修正力が三番目に挙がっている。過ちを二度としない、というのは、おそろしく柔軟で高度な修正力である。

また、次のような章がある。

子曰、德之不脩、學之不講、聞義不能徙、不善不能改、是吾憂也。(述而第七、三)

子曰く、德の脩《おさ》まらざる、學の講ぜざる、義を聞きて徙《うつ》る能《あた》わざる、不善改むる能わざる、是れ吾が憂いなり。

ここに挙げられているのは、孔子が常に自分を注視しつつ気をつけていたことがらである。四つしか挙げられていない項目のなかに、「不善改むる」が入っている。先程の顔回についての三つの項目のうち、こちらにも入っているのは、「学」とこの修正力とであり、この二つが孔子の思想のなかでも特に重要であることを示している。

このように、自分を常にモニタリングして、人の言うことに耳を傾け、自分の間違いに気づいたら、直ちにそれを受け入れ、更に自分の行動を改める、これが孔子の追求する人間としてのあり方の根幹にある。

このような観点からすれば、

子曰、君子不器、(為政第二、一二)

子曰く、君子は器ならず、

という言葉も容易に理解することができる。学習過程が作動しておらず、修正力を欠く小人は、状況にあてはめて用いるしかないが、君子は、状況に柔軟に変化するので、固定した器ではない。

大回りをしてしまったが、これで、

過則勿憚改

の一句の持つ意味と孔子の思想における重要性とが明らかとなった。

忠

次に、最後から二つ目の句を考える。すなわち、

主忠信、無友不如己者、

である。ここを読むためには、孔子の「仁」と密接に関わる「忠恕《ちゅうじょ》」と「忠信」という概念を理解しておかねばならない。

夫子之道、忠恕而已矣（里仁第四、一五）
夫子の道は忠恕のみ

という有名な句があり、昔から重視されている。

では忠恕が何を意味するのかというと、論語のどこを見ても明確な説明がない。そこで「忠」という文字を良く見ると、これは「中」と「心」が重ねられていることからわかるように、自分の心の状態そのままにいるという意味だ、というところで大方の意見は一致している。

孔子は君主との付き合い方は「忠」でなければならぬという。すなわち、

君使臣以禮、臣事君以忠。（八佾第三、一九）
君は臣を使うに禮を以てし、臣は君に事《つか》うるに忠を以てす。

それでは孔子の推奨する君主への仕え方はどういうものかというと、君主には率直に考えを述べ、君主が立派に政治をすれば協力するが、そうでなければ協力しない、という態度である。これがすなわち「忠」なのである。

たとえば、「天下道あれば則ち見《あらわ》れ、道なければ則ち隠る（泰伯第八、一三）」という生き方が推奨される。天下に道があれば公に意見を言ったり、仕官する。道がなければ、隠れて出てこない。何があっても君子に付き従うのは、不忠である。

孔子はこうも言う。

以道事君、不可則止。（先進第十一、二四）
道を以て君に事うるなり。不可なれば則ち止む。

これは、道を以て君主に仕え、道が行われないならば、さっさと辞職する、という意味である。たとえ君主を相手にしても、自分の心を偽らないことが忠である。

これは日本語の「忠」という言葉のニュアンスと随分異なっている。江戸時代に「忠」という言葉が、当時の日本の情勢にあわせて、君主への滅私奉公の意味に読まれたのが現代にも残存しているためである（宮崎　一九九六、一五一頁）。実際、鎌倉時代の貴族である九条道家《くじょうみちいえ》の一二二二年の日記には、天皇の諮問《しもん》に対して、諸般の事情を配慮し、自分の感じたことをそのまま述べなかったことを悔いて、「こういう曖昧《あいまい》な態度は不忠であるので、今後は反対意見をはっきり進言しよう」と反省する文章が出ている（平　二〇一一、二二一頁）。中世から近世に至る間に、意味が変わったのである。

次の章も同じく「忠」について語っている。

曾子《そうし》曰く、吾れ日に吾が身を三省す。人の爲に謀りて忠ならざるか、朋友と交わりて信ならざるか、習わざるを傳えしか、と。（学而第一、四）

「爲人謀而不忠乎」を金谷は「人のために考えてあげてまごころからできなかったのではないか」と訳し、加地は「他者のために相談にのりながら、いい加減にして置くようなことはなかったかどうか」と訳している。しかしこれでは上述の「不忠」の定義に一致しない。「人の為に謀って不忠だったのではないか」という言葉を素直に受け取れば、「人のために策謀して、自分の心にそぐわないことをしたのではないか」と読める。ここにいう「人」はたとえば自分の君主だと思えばいい。この方が、一貫した読みだと私は考える。「忠」に徹し切れなくて、「謀」をしてしまったのではないか、という反省である。

これで「忠」がだいたいわかったので、次に「恕」を考えよう。この字を分解すると「如」「心」であり、心の如し、こころのままでいる、という意味になる。

白川（二〇〇七）によれば、「如」という字は祭器を持った女性が祝禱してエクスタシーの状態となる意を示すという。恕については、「その状態（＝「如」――筆者註）の心意を恕といい、これによって神意をうかがうことをいう。ゆえに他を推してその心をはかる意となる」としている。さらに「儒家がこの恕をもって仁の道とするのは、女巫が神託を受け神意をうかがうことから発想をえているものであり、原始儒家が、そのような巫道を基盤とするものであったことを推測させる」と指摘する。

しかし、「恕」が神意をうかがいうる精神状態の意味から、他人の気持ちを推し量る、という意味に転じる必然性があるわけではない。たとえば、この元来の意味の「神意」を、自らの「内なる声」に置き換えると、「恕」は「自分自身の感覚の教えることを正確に汲み取りうる精神状態」という意味になり、「心の如し」という解釈と一致する。私は、このように解釈する。

論語に「忠」は十八回あらわれるのに対して、「恕」は二回しかあらわれない（楊伯峻一九八〇）。にもかかわらず、「恕」を定義した次のような問答がある。

子貢問曰、有一言而可以終身行之者乎。子曰、其恕乎。己所不欲、勿施於人。（衛霊公十五、二四）

子貢《しこう》問いて曰く、一言にして以て終身之を行なう可き者有りや。子曰く、其れ恕か。己の欲せざる所は、人に施すこと勿かれ。

「己の欲せざる所は、人に施すなかれ」という言葉は普通、

「自分のやって欲しくないことは、他人にするな」

だとされている。しかし「恕」を「心の如し」とする解釈と、この定義は整合しない。

私はこの章の伝統的な読みはひねり過ぎであるように思う。「己所不欲、勿施於人」という句をもっと素直に読んでみよう。「己の欲せざるところ」というのは、そのまま読めば、「自分のやりたくないこと」ではないだろうか。つまりこの句は、

「自分のやりたくないことは、人にするな」という言葉の定義として「心の如し」という意味だということになる。こう読めば、確かに「心の如し」という言葉の定義としてふさわしい。これで何がいけないのであろうか。

†自分のやりたくないことは、人にするな

「自分のやりたくないことは、人にするな」という言葉は、当たり前のように見えるが、そうではない。たとえば日本軍の兵士として中国大陸に派兵されて、そこで「初年兵教育」と称して「肝試し」のために、罪のない人を殺せと命令された場面を考えてみよう。こういう場面で命令に背くのは容易ではない。それでも仁を志す者ならば、たとえ命を捨ててでも、「自分のやりたくないことを、人にするな」というのが孔子の教えだと私は考える。これをやり抜ける人は、どのくらいいるだろうか。それができるなら、まさに君子というにふさわしい。

なお、この言葉は、「自分のやりたいことを、他人にしろ」ということを意味しない。「自分のやりたくないことは、人にするな」というのは、「人に何かするとすれば、それは自分のやりたいことでなければならない」ということである。

宮崎が指摘するように、「己所不欲、勿施於人」と似た文章が、公冶長第五の一二と、顔淵第十二の二に出ている。特に後者には全く同じ八文字が出ている。この章では、孔子が「仁」を問われて答えるなかでこの八文字を使っている。それゆえ、この格率は「恕」のみならず「仁」でもある。こちらの章では、士大夫としての心得としての「仁」が論じられており、「人に施す」の「施」は、施政のこととった方が一貫している。官僚や兵士という、他人から命令を受ける立場で人民に対するとき、「自分のやりたくないことは、人に施すな」という言葉は重い。

ナチス政権下のユダヤ人大量虐殺の関係者であるアイヒマンは、「私は命令に従っただけだ」として自分の責任を認めなかった。この態度がなぜ誤っているかを、「己の欲せざるところを、人に施すなかれ」という言葉は直ちに明らかにしてくれる。

†爾の及ぶ所に非ざるなり

また、前者の公冶長第五の一二は次のような章である。

子貢曰、我不欲人之加諸我也、吾亦欲無加諸人、子曰、賜也、非爾所及也（公冶長第五、一二）

子貢曰く、我れ人の諸《こ》れを我れに加えんことを欲せざるは、吾れ亦た諸れを人に加うること無からんと欲す。子曰く、賜《し》や、爾《なんじ》の及ぶ所に非ざるなり。

金谷（一九九九）の解釈では次のようになる。

子貢がいった、「わたくしは、人が自分にしかけるのを好まないようなことは、わたしの方でも人にしかけないようにしたい。」先生はいわれた、「賜よ、お前にできることではない。」

宮崎（一九七四）と金谷（二〇〇一、一〇二頁）との指摘に従えば、一方で孔子は子貢に対して、

「己の欲せざるところは人に施すことなかれ」

と教えながら、もう一方では、その同じ子貢が

「わたくしは、人が自分にしかけるのを好まないようなことは、わたしの方でも人にしかけないようにしたい」

と言うのを、

「お前にできることではない」

冷たく突き放しており、両者は相矛盾しているように見える。

この矛盾を宮崎は、「恐らく同一の事実を見聞した人が語り伝える間に、次第に変化して来て、二つの異った伝承が成立したのであろう」と説明する。金谷は、先に「恕」についての孔子と子貢の対話があり、調子の良い子貢が、「では私は今後そのように致しますす」と簡単に誓って見せたのを見て、「そんな簡単なことではない」と叱った、というように解釈する。

宮崎も金谷もそれなりに筋の通った説明ではあるが、私にはやはりこじつけにしか見えない。私のように解釈すれば、そもそも矛盾ではなくなる。「恕」についての対話は、「自分のやりたくないことを人にやってはならない」という教えであり、公冶長篇の対話は

「自分のして欲しくないことを人にはやりません」という子貢の誓いを、「爾の及ぶ所に非ず」と否定している。つまり、後者の章は、前者の「己の欲せざるところは人に施すことなかれ」という言葉を、「自分のして欲しくないことを人にしてはならない」と解釈することを否定していることになる。

また、「爾の及ぶ所に非ず」という言葉を「お前の現在のレベルでは及びもつかない所だ」と理解する伝統的解釈には、大きな疑問がある。こういうことを言うのは、どうも厭味な教師のような感じがする。孔子にはふさわしくない。

自分のして欲しくないことを、他人にもそのまま当てはめて、その人もきっとして欲しくないに違いない、と考えるのは、賢明な方法とは言いがたい。こういうことをするのは「余計なお世話」になりかねない。

後述するように、論語が望ましい状態とする「和」においては、お互いの立場や感覚や理解の違いが前提となっている。だとすると、君子同士の交わりにおいては、自分のやって欲しくないことを、相手もやって欲しくないかどうかは、わからないはずである。それゆえ、このような誓いをした子貢に対して、孔子が、

「爾の及ぶ所に非ず」

と否定したのは実に筋が通っている。他人がやって欲しいかやって欲しくないか、顔色を窺うようなことをしてはならない、他人の感覚は他人の感覚なのであって、お前の感覚の及ぶ範囲ではない、という教えである。

†「憑依」

ある状況のなかに魂を開いて自らの身体を置き、そのときの自分の感覚の与える意味を鋭敏に読み解くことが「恕」である。その感覚の中には他者への配慮が既に含まれているはずである。本質的に知ることが不可能な他人の感覚を、自分の感覚で推し量るような無理をするのは「恕」ではない。

これはカウンセリングなどで良く言われることである。痛ましい事件や事故を聞くと、暗い気持ちになる人は多いが、それを鮮明な映像や生々しい痛みとして感じる人がいる。そして自らの目前で、大人や子どもが、恐怖に満ちた顔で息絶えて行くさまを、まざまざと見てしまい、あるいはそういう痛みや恐怖を自ら感じてしまう。そうなると嘔吐《おうと》や痛みに襲われて、身動きがとれなくなる。その問題について発言するときは、あたかも当人であるかのような、異常な緊迫感や怒りを発揮して正論を述べる。

こういう人は一般に「立派な人」と思われがちであるが、生きるのがとても大変で、当人にとっては立派も何もない。それに、こういう行動は実は人々を攪乱させてしまって、有意味な対応をとれなくすることも多い。

こういう人にカウンセラーは、「それはあなたの問題ではありません」と言う。「あなたが自分の感覚で感じるところまでがあなたであって、そこから先はあなたではないのです」というように教える。

深尾葉子は、このようなあり方を「憑依《ひょうい》」と名づけ、その危険性を指摘した。深尾はこれを「魂が他の魂の動きをなぞって、わかったつもりになること」と定義している。しかしこれは本当のところは他人の魂の作動の偽造に過ぎないのである。深尾は次のように言う。

真に自由な魂は、予測不可能であり、なぞることなどできない。できるとすれば、相手の側も魂に蓋をした状態で、偽装した心の動きをしている場合で、そのような心の動きに自己の身体を寄り添わせることは、自らの身体と感情を、売り渡すのと同様に危険で有害である。仮想であっても他人の魂の動きを、自己の身体や精神の上でシミュレートすることになるので、他者に身体と精神を一時的に乗っ取らせることになり、

その本体に対するダメージが大きい。（深尾　二〇〇九、三三頁）

実は深尾自身、このような状態を自ら認識し、抜け出す過程で苦しみながらこの論文を書いたのだが、その時に私は深尾に、論語のこの章を示した。深尾は「爾の及ぶ所に非ず」という言葉をまさにこのように受け止め、この言葉を一つの手がかりとして、憑依という病から離脱したのである。

†李卓吾の「童心」

宮崎の言うように「忠恕」は連文である。連文というのは、似たような意味の二つの文字を重ねて、その意味の共通部分を指す手法である。忠のなかの恕的な部分。あるいは恕のなかの忠的な部分といえば、それは自分自身の本来の感覚に従う、ということになる。

この点については、明代の思想家であり、「儒教の叛逆者」（島田　一九六七、一六一〜一八九頁）と呼ばれる李卓吾《りたくご》（一五二七〜一六〇二年）の「童心説」が注意に値する。李卓吾は、人間本来の「無善無悪」の「心の本体」たる真心を「童心」とした。一方で、外部から取り入れられる自分ならざるものを「假」と呼び、これが「聞見」・「道理」という形で進入し、「内の主」となると童心が失われて「假人」となり果てる、と主張する。

溝口雄三（一九八五、二二六～七頁）は、李卓吾が「童心」について「絶假純眞」というのは、欲することをありのままに欲する、そういう赤裸々な心こそ、仮飾のない純然たる真率なものだ、と考えているからだ、と指摘する。私の見るところ、この「儒教の叛逆者」の言う「童心」こそが、論語の「忠恕」を可能にする基盤である。

†忠信

これで「忠恕」がだいたいわかったので次に「忠信」に移ろう。楊伯峻（一九八〇）によれば「信」の使用頻度は三八回と「忠」を上回っている。「信」は言葉への信頼のことである。それはたとえば「朋友と交わりて信ならざるか（学而第一、四）」といった友達同士の関係でもあるし、また、政治に関する問答で孔子が「民、信無くば、立たず」と答えたように、人民と為政者との関係という形でもある。（顔淵第六、七）

金谷（一九九〇、七〇頁）によれば、「忠」という字は、孔子以前の文献と見られる『書経』や『詩経』には表れていない。もちろん甲骨文字にもない。『書経』では「信」という字がこれに相当する形で用いられているが、これは「忠」のように個人の内面にかかわるものではなく、嘘をつかない、約束を守る、という人と人との間にあらわれる状態を指す言葉であるという。

この「信」を「忠」と連文にしたものが「忠信」である。この箇所に金谷の付した註によれば「忠信」は、「誠実の徳、忠は内的良心、信はその発露としてのうそをつかない徳」という意味である。つまり、他人と交わるときには自分の心に言葉を一致させて、二枚舌を使わないでいることという意味になろう。

「忠信」を理解するには、M・K・ガンディーの次の言葉をこれに重ね合わせることがふさわしい。

わたしは物を書くときに、自分が前に言ったことを考えたことはない。わたしの意図するのは、与えられた問題について、自分が前に述べたこととつじつまを合わせるのではなく、その時点において、自分にとって真理であると思われるところに一致させることである。その結果、わたしは真理から真理へと成長してきたと言えよう。（ガンディー 一九九七、第一巻一四四〜五頁）

これが忠にして信という態度である。

なお、この「忠信」という態度は、学の有無とは関係がない。学に励んだところで忠信になれるわけでもなく、忠信だからといって学があるわけでもない。孔子は次のように言っている。

子曰、十室之邑、必有忠信如丘者焉。不如丘之好學也。（公治長第五、二八）

子曰く、十室の邑《ゆう》にも、必ず忠信なること丘《きゅう》の如《ごと》き者有らん。丘の學を好むには如《し》かず。

つまり、忠信は学とは関係ないのである。

伝統的に、

主忠信

の解釈には二つの説がある。ひとつは、忠信に従って生きよ、という意味にとる。もうひとつは、「主」を「親しむ」という意味にとり、「忠信」を忠信に従って生きる者、という意味にとる。私は後者に従う。

†己のままならざる者を友としない

続いていよいよ問題の「無友不如己者」に取り掛かることにしよう。

私の第一の提案は、論語本文に誤字が入っていることを認めることである。どこにはいっているのかというと、

無友不**如己**者

の太字にした「如己」のところである。「己」が「心」の書き間違いであって、更に「如」と「心」とが一文字なのではないか。もしそうだとすると、ここは、

無友不恕者

となる。これならば「主忠信」と並べて、「忠信に従う者に親しみ、恕ならぬ者を友としない」と一貫して読める。

とはいえ原文に手をつけるのは大手術であって、特に私のごとき浅学の者がするのは危険極まりない。そこで「如己」の解釈を変更する、より安全な二番目の案を用意した。これは上述の深尾葉子の提案である。

「如」という文字はたとえば、

万事如意

というように使う。これは中国人が正月に赤い紙に書いて入り口に貼り付けたりする文句であるが、

なんでも意のまま

というまことにおめでたい意味である。「如意」の「意」を「己」に入れ替えれば、「己のまま」という意味になる。そうすると、

不如己

は、「自分より劣った者」ではなく、「おのれのままならざる者」という意味になる。つまり、

無友不如己者

は、

己のままならざる者を友としない、

と解釈できる。結局のところ、「不恕者」でも「不如己者」でも、ほぼ同じ意味になる。なぜ、己のままでない者を友としてはいけないかというと、そういう者は自分自身を偽って飾り立てているからである。こういう輩への嫌悪感は、論語にしばしば現れる。たとえば、

子曰く、巧言令色《こうげんれいしょく》、鮮《すく》なし仁。（学而第一、三、陽貨第十七、一七）

子曰く、巧言・令色・足恭《すうきょう》なるは、左丘明《さきゅうめい》之を恥ず。丘も亦之を恥ず。（公冶長第五、二五）

というように。逆に、

子曰、剛毅朴訥近仁。（子路第十三、二七）
子曰く、剛《ごう》・毅《き》・木《ぼく》・訥《とつ》は仁に近し。

と、生の自分を曝《さら》け出す人間は、仁に近いと高く評価される。

もちろん、剛だけでは「剛を好みて學を好まざれば、その蔽《へい》や狂（陽貨第十七、八）」と子路のように孔子に叱られる。しかしそれでも孔子は、「中行《ちゅうこう》を得て之に与《くみ》せずんば、必ずや狂狷《きょうけん》か（子路第十三、二一）」と言っている。これは、中庸を得た優れた仲間が得られない場合には、「狂狷」なる者を仲間としよう、という意味である。中庸を得た仁者は滅多にいないので、「狂」は原則的にいつでも孔子の友達にしてもらえるのである。

以上の議論により、

主忠信、無友不如己者、

の句を読み解くことができた。その解釈は、以下でよかろう。尚、ここでは深尾の読み方を採用する。

まごころに従って、言葉を心に一致させる人と交わり、ありのままの自分でいない者を友達にしない。

†克己復礼

今までこの読み方が提案されなかったのは、

顔淵問仁。子曰、克己復禮、爲仁。（顔淵第十二、一）
顔淵《がんえん》、仁を問う。子曰く、己を克《こく》して禮《れい》に復す、仁と爲す。

という問答が「仁」の定義として重視されたためではないかと思う。「克」は新註では「かちて」と読む。己が勝つ対象であるなら、「己のまま」は最悪である。それゆえ「不如己者」は、その「己にしかざる者」と読まれてきたのであろう。

しかし、この章は続けて、次のように「己」を肯定している。

爲仁由己。
仁を爲すは己に由る。

宮崎市定はこの箇所を、「他人の影響、誘惑、脅迫を離れて全く自由になりえた人が、自ら進んでやる行為が自然に仁となることを言った」と解釈する（宮崎　一九九六、一五三頁）。その方向で読むのが適当であろう。

朱熹《しゅき》（一一三〇～一二〇〇年）は「克己復禮」の己を「私欲」と解しているが、荻生徂徠《おぎゅうそらい》（一六六六～一七二八年）はこの矛盾を批判している。その上で馬融《ばゆう》（七九～一六六年）の「克己は身を約するなり」という解釈を採用する。そして「己を克くして禮を復む」と読み、その意味を「身を禮に納るるなり」としている。こうすれば身を約するのは己自身がやる以外にない、というように一応は矛盾なく解釈できるが、今度は、「身を禮に納る」「身を約する」というのが何のことか良くわからないので、改善した気がしない。

白川静によれば、「克」という字はもともと「木を彫り刻む刻鑿《こくさく》の器の形。上部は把手、下部は曲刀の象である」という。それが後に転じて「克つ」という意味になったとして、その用例として論語の「克己復禮」を挙げている（白川　二〇〇七）。

論語の「克己」を、己を彫り刻むようにして、自らのあり方を作り変える行為と見れば、その意味がよく理解できる。人は、往々にして無意識の衝動にかられて、間違った行いをしてしまう。自分のその無意識の作動に気づき、それを認めてはじめて行いを改めることが可能になる。言うまでも無く、無意識の部分を意識するのは容易ではない。それは、自分自身の認めたくないつらい記憶と向き合い、恥じて、悲しみ、乗り越える行為である。これは厳しいことであり、己を彫り刻むようなつらさを伴っている。これが「克己」なのではなかろうか。これは、己を彫り刻んで作り変えることであり、そのまま己に克ち、あるいは己を約することでもある。

とすれば、「克己復禮、爲仁」とは、自分が無意識にしてしまった間違った行為を恥じ、自分自身のあり方に向き合い、己の魂の隠された傷を明らかにし、悲しみ、さらにそれを乗り越えることで、礼にかなった振る舞いができるようになる、こうすることが仁だ、という意味と解釈できる。そして間違いなく、このような行為は自分自身でするしかなく、「仁を爲すは己に由る」のである。

このようにして自分の呪縛から逃れるとき、人は自由になる。それゆえ、宮崎が仁と自由とを結び付けているのは、理に適っている。

以上のように考えれば、「克己復禮」と「無友不如己者」は矛盾しない。己のままに生きないで、うわべをとりつくろっている者は、克己しないからである。

†学則不固

では次に、「学則不固」の解釈に移る。既述のごとく、ここには古来、二つの解釈がある。

（イ）学んだら固陋でなくなる、

（ロ）学んでも堅固でない、

金谷の註によれば、「学とは本を読み先生に聞く、外からの習得をいう（金谷　一九九九、四三頁）」とあるから、「学」は、紛れもなく、外部から自分本来ではない何かを取り込む、ということである。

正直申し上げて、（イ）は私の感覚と正反対である。私の観察するところでは、下手に学問をやっている人ほど、自分の専門知識にこだわって譲らず、頑固になる傾向が強い。少しでもその人の領域の前提に反するようなことを言うと、

「いえ、私たちの分野ではそのように考えません」

と鉄壁の構えである。

その上、自分が「専門」とみなす領域を少しでも外れたことを聞くと、全くの腰砕けで、自分の意見というものがない。たとえば日本中世史が専門だと言うので、当時の社会構造について質問すると、

「いえ、私の専門は貴族の日記の分析ですので、そういうことはわかりません」

とうろたえる始末である。詰まるところ、

（八）学んだら固陋になる上に、堅固でもない、

というのが一般的現象である。

別の箇所で孔子は、「學びて思わざれば、則ち罔し。思いて學ばざれば、則ち殆うし」と言っている（為政第二、一五）。これは、学ぶことによって固陋になることを警告する文章である。学問をやって固陋になってしまう人は、自分の感覚に従って「思う」ことが欠

けており、学んだ知識に搦めとられて、「罔」という状態になっているのであろう。

逆に自分の思い込みにこだわっていると、自分の相対的状態が見えなくなってしまい、これが「殆うし」である。そこで、「学ぶ」ことによって外部の視線を入れて、自分の状態の把握を柔軟にする必要がある。たとえば、一流のスポーツ選手は自分の身体感覚の把握能力の高い人々であるが、それでも彼らはみなコーチを必要としている。それほどに、自分の状態の把握は難しいのであり、「学」は不可欠である。

これをふまえて、「學則不固」を私は次のように解釈する。


学んでも固陋にならない。


常に「学ぶ」と共に「思う」を忘れてはならないという教えである。

そう思って荻生徂徠の解釈を見ると、

伝に曰く「博く学んで方無し」と（禮記、内則）。孔子は常の師なし（子張篇）。一師の説を固執せざるを謂ふなり。

とある（荻生、一九九四）。学んでも頑なになるな、という方向の読みである。
次のような問答もある。微生畝《びせいほ》という人が、孔子を評して「安易に妥協しすぎる」と批判したことがある。これに答えて孔子は次のように答えた。

非敢爲佞也。疾固也。（憲問第十四、三四）
敢て佞を爲すに非ず。固きを疾むなり。（宮崎　一九七四）

宮崎はこれを次のように訳す。

決して妥協したりなどはしない。併しそう見えるなら、それは固い殻に閉じこもっていないからだろう。

また、別のところでは、孔子は「毋固」であった、つまり、「固執することがなかった」という表現がある（子罕第九、四）。孔子は、固く意固地になることを嫌っており、柔軟性を重んじている。

これであとは「不重則不威」を片付ければゴールに到達である。ここは普通、「重」と「威」をポジティブに捉え、「不重」と「不威」をあってはならない状態と考えている。

しかし、「重々しい」のは必ずしも良いことではない。動的な環境の中で、ある状態を保とうとすれば、常に動き回って調整しつづけねばならないからである。

中庸之爲德也。其至矣乎。（雍也第六、二九）
中庸の德爲る、其れ至れるかな。

この「中庸」という概念は、「ほどほど」という意味ではない。「庸」とは「常なり」という意味である。木村英一は「中庸とは中途半端とか平均とか言うことでなく、たえず事態の変化に適応して、常に過不及なく適切妥当な措置を取りつづけることである」と指摘している。（木村　一九七五、五五一頁）

宮崎（一九七四）によれば、「中庸の中は過不及のないこと。庸は常なりと訓じ、この常は永久の常である。過不及のない行為は、時間的に永久に繰返しても行きつまることがない、というのが中国思想の特色である」という。

しかしこれはかなり不思議な考え方である。当たり前のことであるが、いかなる行為も外部からのエネルギーの注入なしに永久に繰り返すことはできない。この思想の、因果の関係を逆にすれば話が通じる。つまり、「常に繰り返し調整し、修正することで、過不及のない正しい状態を維持できる」というのがまっとうな考え方だからである。私は「中庸」という言葉はもともと、このような意味を持っており、それが忘れられ、後代に宮崎の言うような思想が捏造《ねつぞう》されたのではないかと考える。

子在川上。曰、逝者如斯夫。不舎晝夜。(子罕第九、一七)
子、川上に在り。曰く、逝く者は斯《かく》の如きか。晝夜を舎《お》かず、と。

この箇所は古註では時間の経過の早いことを嘆いたとされ、新註では水流のやむことのないように絶えず修養に努めて進歩せねばならない、と読む。あるいは、加地は小川環樹の説に従い、水のエネルギーに感嘆したという解釈をとる。

しかしこの箇所は、中庸を維持するための絶えざる動きへの賛嘆とも読める。さらに、その絶えざる川の流れが形成する、川面の様子や渦の形はある定常性を持っており、静かでもある。

以上のように見れば、「重」はネガティブであり、「不重」はその否定と読むこともできる。それは、固を嫌う姿勢と一貫している。

「不威」は、そのまま、威圧しない、威張らない、と読みたい。このあとに、友達づきあいの話が出てくるのであるから、威張るなという教えはすんなりと繋がる。自分と周囲の人々の状態に常に注意を払い、もったいぶって重々しくなどしない人間、ありのままの自分でいる人間は、他人を威圧したりはしないものである。

これまたこう思って荻生徂徠の読みを見ると以下のようになっている。


重からずとは重事にあらざるを謂ふなり。君子は愷悌以て徳と為す。ゆゑに凡そ重事に非ざれば、威厳を設けず。

つまり「不重則不威」は「国の重大な行事でなければ、威厳を示すようなことはしない」と解釈している。国の儀式のやり方が、学問とか友達づきあいの心構えと並んでいるのは、不自然だと思うので「不重」の解釈は同意できないが、「不威」は私と同じ方向である。

†君子のあり方

こうしてようやく、我々の冒険が完結した。全体の解釈は次のとおりである。原文を再掲しておく。

子曰、君子不重、則不威。學則不固。主忠信、無友不如己者。過則勿憚改。（学而第一、八）

先生は言われた。君子たるもの、もったいぶって重々しくなどせず、それゆえ、威張ったり威圧したりはしないものだ。学んでも、自分でよく考えて、固陋にならぬように。まごころに従い、言葉を心に一致させる人と交わり、ありのままの自分でいない者を友達にしない。過ちがあればそれを改めることに躊躇《ちゅうちょ》してはならない。

これは、まことにもっともな教えだと私は思う。常に自分を開き、ありのままの姿でいること、それが君子にとって最も大切なことである。そうであれば、過ちを犯したときにも言い逃れせず、それを改めることに躊躇しない。ありのままでいるためには、必然的に、言葉を本心と一致させることになる。それゆえ、そういう人は、ありのままでいない、表面を飾る者を友だちにしない。というより、そういう表面を飾る人は、おそれをなして離れていくので、友だちになろうと思っても無理である。ありのままでいるなら、何かを学んで外から取り込んでも、自分にわからないことは身につかないので、固陋になったりはしない。そういう人は、重々しくして威張ったりなど、決してしない。誰よりも謙虚なものである。それが、君子というものである。簡潔にして要を得ており、気高く、優しく、そして厳しい文章であると私は感じる。

第4章

是禮也——礼とは

†子入太廟

子入太廟、毎事問。或曰、孰謂鄹人之子知禮乎。入太廟、毎事問。子聞之曰、是禮也。（八佾第三、一五）

子太廟《たいびょう》に入りて、事毎《ことごと》に問う。或ひと曰く、孰《たれ》か鄹人《すうひと》の子禮を知ると謂えるか。太廟に入りて、事毎に問う、と。子之を聞きて曰く、是れ禮なり、と。

この章は、次のような意味である。

孔子が魯《ろ》の始祖である周公を祭る太廟に入ったときのことである。田舎出身の礼学者である孔子は、祭礼において事ごとに長上の経験者に「これは何ですか、あれはどういう事ですか」と尋ねて回った。これを見てある人が「あの鄹から来た田舎者、礼の先生だと誰が言ったのか。太廟では、なんでもかんでも聞いて回っていたぞ」と謗《そし》った。この悪口が孔子に伝わると、「それが礼なのである」と答えた。

この章は、儒家にとって致命傷となりかねない内容を持っている。夏《か》・殷《いん》・周《しゅう》の古礼に精通しているはずの孔子が、魯の太廟の礼すら知らないことが暴露されたからである。

古註によれば孔安国《こうあんこく》（前漢の人。生没年不詳）は「孔子はこれを既に知っていたのに、念のために聞いたのであって、慎重の至りである」と言い訳しており、安井息軒《やすいそっけん》（一七九九〜一八七六年）は「何をするにも事ごとに聞くのは、間違いがないかと恐れるためである」としている。（渡邊　一九六六、二〇頁）

荻生徂徠に至っては、

「子大廟に入つて事毎に問ふ」、古へ必ず此の禮あらん。ゆゑに孔子曰く、「是れ禮也」（荻生　一九九四、上二一九頁）

とまで言う。つまり、「事毎に問う」という古礼があったのを、孔子だけが知っていたのだ、と解釈し、「孔子がこれが礼だと言っているのだからこれが礼なのであって、孔子の言葉を信じないで、とやかく理屈を考える古註や朱註はとんでもない」という趣旨のことを言っている。

孔子を偉大なペテン師と看做す浅野（一九九七）は、この章に基づいて孔子を強く批判し、古い祭礼の知識があるかどうかが問題であるのに、それを日常的な礼に話をすり替えて、みじめな言い訳をしている、とそのいじけた魂のありようを指摘する。

加地は「〔知っていても過ちのないように確かめる。〕それが礼なのである」と訳しているが、さすがにこの強弁を受け入れておらず、加地（一九九〇、八七頁）では、孔子は「やはり本当に礼を知らなかったと考える」としている。

とすればこの章は、儒家にとってやはり致命傷になっていると考えざるを得ない。孔子は古礼などろくに知らなかったのである。

†「礼」の構造

ならばこの章は、何を意味するために論語に収録されたのであろうか。私はこの章の最後の一句、「是禮也」が、

知之爲知之、不知爲不知、是知也。（為政第二、一七）

の最後の一句と同じ形をしていることに注目すべきだと考える。

既に述べたように、「是知也」の章は、自己言及する構造になっている。これと同様に、この章の「礼」に対する論理は同様の自己言及構造になっているのではないか。なぜならこの章は「何が礼で、何が非礼であるかを、事ごとに問うこと、これが礼だ」という意味

なのであるから、表式化すると、

（礼／非礼）↓礼

となる。これは「知」と同じ形式である。

ではなぜ、孔子は「事毎に問う」という振る舞いをしたのであろうか。「或ひと」の言うように、礼の教師という触れ込みで太廟に現れた男が、何でもかんでも質問していれば、あきれるのは当然である。孔子は明らかに太廟の礼を知らなかった。そして、知ったかぶりをせずに、無知を隠しもせずに聞いて回るという姿勢は、「（礼／非礼）↓礼」という信念、すなわち、何が礼で何が非礼かを常に探求する態度がすなわち礼である、という信念を背景とすれば、不思議でも何でもない。それはまさしく忠恕であろう。

身分の低い、田舎出身の孔子は、太廟の祭礼に関わるという栄光に浴し、憧れの周公の礼を学ぶことのできる感激のままに、人々に祭礼のあり方を聞いて回ったのである。これに悪口を言われていると教えられて、孔子はキョトンとしたであろう。それのどこが恥ずかしいというのだろう、と。そして相手の言いたかったことを理解してから、「是禮也」と言ったのである。

孔子は礼の中身はさほど問題にしない。宮崎（一九七四）はこの点について次のような注目すべき指摘を行っている。

孔子にあっては、礼が大切なのはその外形よりも寧ろその意味するところのもの、内容にあった。礼の精神においては和が大なる位置を占めている。

そして、「いま礼の外形を従来のまま礼なる言葉を用い、礼の意味するものの代表者として和なる言葉を用いて両者を対立させ」る、という用法を提唱する。この読み方により、「禮之用和爲貴」という言葉とその章（学而第一、一二）の意味を明快に理解してみせる。

しかし、礼の外形は良いとして、その内容が何を意味するのか不明という問題が生じる。宮崎は「和」を「妥協性」と訳しているが、これは受け入れがたい。私は、礼の外形とは上の式の項たる「礼」であり、礼の内容とは、この式全体を含む、学習の過程そのものである、と考える。

人と人とのやり取りがうまくいくためには、実に見えないような微小なレベルの知覚と、それに基づいた調整が不可欠である。たとえばすれ違いざまに目礼するという礼を実現しようすれば、視線を相手に合わせてタイミングをはかって、適切な瞬間に適切な角度で頭を下げねばならない。タイミングが早すぎたり遅すぎたり、おじぎが深すぎたり浅すぎたりすると、礼はぎこちなくなってしまう。相手の身体や心の動きを受けとめ、絶妙のタイミングで絶妙の角度でお辞儀を決められたなら、相手も同じように美しく頭を下げる。このときには、なんの命令も、なんの強制も必要なく、あなたは誰かの頭を思い通りに作動させることができる（Fingarette 1972, pp. 8-9）。

この過程を実現するには、目に見えない微細な部分の調整を高度に稼動させる必要がある。コミュニケーションの難しさは、まさにこの微細な部分にある。

この場合、礼を形式的に完全に書き下すことはできない。すれちがう何メートル前で、どのような速度でどのような角度で頭を下げたら良いか、という外形的な規定を設けて、それに従ってお辞儀をしても、決してうまくはいかない。お辞儀を正しく執り行うには、他者の動きとこちらの動きの双方を取り込んだ、高次の回路を形成し、その全体のダイナミクスをうまく構成する必要がある。そのとき、双方ともに自発的に、美しく、気持ちよく、あいさつをかわすことができる。

†色難し

この微細なレベルの重要性について、論語には、以下の問答がある。

子夏問孝、子曰、色難、有事弟子服其勞、有酒食先生饌、曾是以爲孝乎、(為政第二、八)

子夏《しか》、孝を問う。子曰く、色難《いろかた》し。事あれば弟子其の勞に服し、酒食あれば先生に饌《せん》す。曾《すなわ》ち是れ以て孝と爲さんや。

金谷のほか、加地も宮崎も「色」を新註に従って、孝行する側の表情や雰囲気と見ているが、馬融の古註では、父母の顔色によってその意思を察して行動するのが最も困難だ、と解釈している。

私は、二者択一の問題ではないと考える。父母の表情も、子供の表情も大切である。つまり、「色難し」とは、微細なレベルのコミュニケーションが一番難しい、という意味に解釈する。なぜなら相互の真の愛情がなければ、微細な表情を読み取ることも、本当に和らいだ表情を見せることもできないからである。

†無知を曝け出す孔子

このように、相手にふさわしいお辞儀をどのようにしたら良いか、父母にどのように給仕すれば良いか、という日常的な儀礼についてさえ、このような微細なレベルの調整が不可欠であるなら、周公を祭る太廟の祭礼を行うには、同じように微細なレベルにおける調整を延々と繰り広げる必要がある。これを実現するために孔子が人々に話を聞いて回ったのは、礼の本質に関わる、重要な行為であった。

礼の細目に精通する太廟の人々が、手ぐすね引いて待っているところに、礼の教師と名高い田舎者の孔子がそこに登場する、というのは緊迫した場面である。相互に、相手の間違いを慇懃無礼《いんぎんぶれい》に指摘し、自分の知識をひけらかす、という戦いの場になってもおかしくない。

ところが、孔子は事毎に質問して自らの無知を曝け出し、相手に知識をひけらかす機会を与え続ける。この意外な戦術は面白い。そしてその背景に、上のような礼についての学習思想があるとすれば、この章は論語のハイライトのひとつだと言ってよかろう。

†礼と和

礼という概念に関しては、次の節が重要である。

有子曰、禮之用和爲貴、先王之道斯爲美、小大由之、有所不行、知和而和、不以禮節

之、亦不可行也、（学而第一、一二）

この節もまた、どう読むべきか、異論の多いところである。古註では「禮之用和爲貴、先王之道斯爲美」を前半としてここで一旦切る。これに対して新註では「禮之用和爲貴、先王之道斯爲美、小大由之」までを前半とする。

「禮之用和爲貴」の部分も、「禮の用は、和をもて貴しと爲す」と読むやり方と、「禮は之れ和を用て貴しと爲す」と読むやり方とが主流である。前者の読み方をとるとしても、解釈は、

「礼のはたらきとしては調和が貴いのである」（金谷）、

「礼式・作法の実行においては、［堅苦しくならず］なごやか（和）であることが大切である」（加地）

という具合に様々である。

また、貝塚茂樹（一九七三）と宮崎市定とは、伊藤東涯《とうがい》（一六七〇～一七三六年）に従って「礼はこれ和を用うるを貴しと為す」と読む。貝塚はこれを「礼を実現するには調和が

たいせつである」と解釈し、宮崎は「礼を実行するには妥協性が大切だ」とする。とにかく、ここには成案がないのである。

なぜこのような色々な読みが出るのかというと、「和」の意味、特に「礼」と「和」との関係がよく考えられていないからである。ここを明確にすることが、本章を読むための肝であると言って良かろう。

†和と同

「和」の意味を考えるには、次の章を参照せねばならない。

子曰、君子而不同、小人同而不和。(子路第十三、二三)

子曰く、君子は和して同ぜず、小人は同じて和せず。

ここでは、

君子：和　　小人：同

という明確な対立が示されている。既に見たように、君子とは学習を開いており、自ら改める準備のできている人物であり、小人はそれが停止している。ということは、「和」は学習と関係があり、「同」はその停止と関係があることになる。

しかし学習と和とは、同じものではない。なぜなら、学習は自分一人に関することであるが、和は、複数の人の間に関することだからである。ということは、

君子⇕君子：和　　　　小人⇕小人：同

ということになろう。では君子と小人とが相対するとどうなるかというと、それは上下関係が影響してくる。

直きを舉げて諸《こ》れを枉《まが》れるに錯《お》けば、則ち民服す。枉れるを舉げて諸れを直きに錯けば、則ち民服さず。（為政第二、一九）

であるから、君子が小人の上におかれれば「和」、小人が君子の上におかれると「同」になってしまうのであろう。正確に言えば、君子は小人の下におかれても「忠」を維持する

であろうから、必ずしも「同」は貫徹しないはずである。そうすると軋轢《あつれき》が生じて「民、服さず」になるものと考えられる。

自らの心を閉ざし、学習回路を停止している小人同士の「同」のなかで、表面的な礼儀作法をいくらやっても、「礼」は実現されない。仁の力により、人々の学習過程が作動するとき、真の秩序が達成される。そこでとり結ばれるコミュニケーションは、「礼」にかなっている。

†礼と学習過程

ここに、AとBという二人の個人がいるとしよう。二人が相互に学習過程を作動させており、「仁」の状態にあるなら、Aの投げかけるメッセージをBは心から受けてとめて自己を変革し、そこから生まれるメッセージをAに返し、Aもまた同じことをする。このとき両者の間のメッセージの交換は「礼」にかなっている。また、このときAとBとがそれぞれに解釈して把握する意味は、常に互いに異なっている。

より正確に言うなら、違う人格がそれぞれに把握している「意味」が、相互に一致しているかどうかなど、原理的にわからない。そのわからなさを無視し、互いに「同じ何かを共有している」という思い込みを形成するのが「同」である。小人は「同」がなければ不安でたまらない。

しかし、君子はこのようなことを必要としない。人は人、自分は自分である。人が自分の考えを共有してくれているかどうかなど、問題とならない。それはそもそも不可能なことだからである。それゆえ、君子の交わりは、相互に考えが一致しているかどうかなど問わず、むしろその相違を原動力として進む。こうした相互の違いを尊重する動的な調和を「和」という。

これに対して、Bが「不仁」の状態にあるとしよう。すると、Aの投げかけるメッセージをBは表面的にのみ受け取り、学習することなく、それでいて学習のフリだけをして適当にBに返す。Aはそれを真剣に受け取って学習し、メッセージを返すのだが、それをBはまた適当に受け取って返す。こういうことを繰り返されると、AはBについての適切な像を描けなくなり、自分の学習過程への信頼を破壊されてしまう。こうしてAもまた学習過程を停止し、「不仁」の状態に陥る。このとき、BはAに対して自分の都合のよい何かを押し付ける。これが「同」である。この両者のやりとりは、表面上、どんなに礼儀作法を守ったとしても「非礼」である。

†和と多様性

なお、金谷（一九九〇、一九九頁）の指摘によれば、『春秋左氏伝』（昭公二十年）に「和」と「同」との違いについての解説がある。和は、辛《しん》・酸《さん》・甘《かん》・鹹《かん》・苦《く》の五味をまぜて調味するように、異類をまじえて調和すること、同は一味だけが集まること、であるという。このような多様性を維持したままの動的調和を生み出すためには、各人が自分の感覚を信じ、それに従う「忠恕」の状態になければならない。

このように考えるなら、

禮之用和爲貴、先王之道斯爲美

という句の意味は明らかである。対話する双方が共に学習過程を開いているなら、そこには「和」が実現する。そのような状態で取りかわされる行為は、それが対話であれ、舞踊であれ、儀礼であれ、「礼」にかなったものとなる。それゆえ礼にとって何よりも貴いのは、個々の振る舞いが約束事にかなっているかどうかではなく、そのやりとりの全体が和の状態にあるかどうかである。孔子の理想とする「先王之道」は、このような状態を「美」と為す。このように解釈すれば、何の不思議もない、筋の通った話である。

†和と礼との対立

続く

小大由之、有所不行、知和而和、不以禮節之、亦不可行也

はどう読むべきか。伝統的解釈は、「礼」と「和」とをむしろ対立するものとして解釈し、和だけでやったらダメなところが出るので、礼で節せよ、というように解釈する。たとえば加地は次のように訳している。

かと言って、だれもがどの場合でも〈なごやか〉——つきつめれば「なあ、なあ」主義の狎《な》れあい——ばかりだと、礼式・作法が乱れてしまう。なごやかさを活かすとしても、礼式・作法の折り目正しさを忘れず、節《ほど》よく両者がつりあわなければ、礼式・作法は崩れてしまう。（加地　二〇〇四）

つまり、和と礼とのつりあいをとれ、と言っているのである。

しかしこの解釈に従うと、とてもつまらない話のように思える。これでは「宇宙第一の書」にふさわしい内容のような気がしない。こんなつまらない本は、わざわざ読む必要もないだろう。このようになってしまうのは、

和＝なごやか、あるいは「なあ、なあ」主義
礼＝折り目正しく

という実に下らない対立関係で読んでいるからである。

†知和而和

しかし既に述べたように、和は礼の本質として捉えるべきである。そのように考えるならこの部分は、

小大由之、有所不行、知和而和

と切るのが良い。その読み下しは、

小大これに由《よ》れ。行かざるところ有らば、和を知りて和せ。

ということになる。「知和而和」とは何だろうか。これは「是知也」に戻って考えねばならない。「知」とは「知と不知とを分別すること」であった。さすれば「知和」とは、「和と不和とを分別すること」だと考えられる。つまり、「知和而和」とは、「和と不和とを分別して、和せよ」という意味になろう。言い換えれば、

(和/不和)↓和

ということになる。上の箇所の解釈は、以下のようになる。

なにごともこのように対処すべきである。もしうまく行かないことがあるなら、和と不和との分別に立ち戻って、和を実現せよ。

†先王の道はこれを美とする

その次の句、すなわち

不以禮節之、亦不可行也

禮を以て節せざれば、亦行う可からず

は、そのまま読めばよい。礼を以て節しなければ、うまくは行かない、ということである。節するというのは、調和をもって安定を実現する、という意味である。

以上の議論から、この章を私は、次のように解釈する。

有子は言った。礼の本質は和であり、これこそが貴い。先王の道はこれを美とする。なにごとも、これによれ。うまくいかないことがあれば、和とは何か、不和とは何か、という本質的な問いに立ち戻り、和を実現せよ。（和によって成立する）礼を以て節しなければ、（なにごとも）うまく行きはしない。

この箇所にも、自己言及的な論理が顔を出していることに注意すべきである。それが論語を理解するために最も肝要なことだと私は考える。

†恭近於禮

続いて、礼に関する有名な章をいくつか見ておきたい。

有子曰、信近於義、言可復也、恭近於禮、遠恥辱也、因不失其親、亦可宗也（学而第一、一三）

この章を、とりあえず以下のようにとりあえず読んでおこう。

有子《ゆうし》曰く、信、義に近ければ、言、履《ふ》むべし。恭、禮に近ければ、恥辱に遠ざかる。因《よ》ること、其の親を失わざれば、また宗《そう》とすべし。

しかしこれだけでは意味がわからないので、何を言っているのか考えないといけない。「信」というのは「言葉への信頼」のことであり、それは「言葉とその人の心とが一致していること」だと私は解釈している。それが「義」に近いというときの「義」とは何かというと、私はこの概念を、「道に従っている状態にあるときに見える為すべきこと」の意味に解釈している。この為すべきことが見えているなら「知」である。「信が義に近い」というのは、どういうことだろうか。両概念にはかなり距離を感じるのでなかなか解釈が難しい。少し面倒な議論になってしまうが、しばしお付き合いいただきたい。

†論語の基礎概念系列

私は、仁・忠・恕・道・義・和・礼という諸概念は相互に直接関係していると考えている。「仁」は学習過程が開かれていることであり、「忠」はそのときに達成されている自分自身の感覚への信頼を表現する。そのとき他者との関係性において自分自身のあるがままである状態が貫かれており、これを「心の如し」という意味で「恕」という。この状態にある人は、自らの進むべき「道」を見出し、そこを進むことができる。この道をたどっている状態で出遇う出来事において為すべきことが「義」である。「仁」の状態にある者同士の、調和のとれた相互作用が「和」であり、そのときに両者の間で交わされるメッセージのありかたを「礼」という。そこで、これらを、

「論語の基礎概念系列」：仁・忠・恕・道・義・和・礼

と呼ぶことにする。

ところが「信」は、この一連の概念系列のなかに入ってこないのである。というのも「信」というのは行為者と言葉との関係に関わることであって、行為者自身のあり方に関する上の諸概念と次元が違うからである。

†信近於義

「信近於義」という表現は、「信」と「義」という本来次元の違う概念を並べているので、それゆえ「近い」と言っているのだと私は考える。次元が違うので「一致」ということはあり得ないからである。では「義」に近い「信」とは一体、どういうことであろうか。

心と言葉とが乖離しない、という状態は、心がどういう状態にあるかは問われていない。それゆえ、心にもないことを言う、ということは、もしかすると、忠恕の状態にあっても起きるのかもしれない。自分の心が歪んでいるとしても、それを正確に言葉に表現するなら、それは「信」である。心が歪んでいるのに、そうでないフリをして立派な言葉を並べれば、それは「信」ではない。

一方、「義」というのは心のあり方と関連している。心が歪んでおり、道が見えないの

であれば、何が義なのかもわからない。ということは、「信が義に近い」というのは、

「心と言葉とが乖離しないと同時に、心が完全ではないにしても、開かれている」

ということではないかと推察される。

「言可復也」の「復」は「履行」の「履」だとされる。そうすると、「言葉が履行されうる」という意味だと考えて良いであろう。つまり「信近於義、言可復也」という句は、義に近い信が成り立っていれば、そういう場で発せられた言葉に嘘偽りはなく、実際に履行されると考えて良かろう、という意味になる。

†遠恥辱也

「恭近於禮」もまた同じ論理構造になっている。「恭」という概念は、先ほどの概念系列に入っていない。というのも、「恭《うやうや》しい振舞」というのはそれ自体としては、仁でも不仁でもありうるからである。それが「礼」に近い、というのは、単に表面的に恭しいのではなく、忠恕の状態で恭しいので、その場合には「和」が成立しており、それゆえ「恭しい振舞」は「礼」にかなうことになる。

この場合に「遠恥辱也」つまり「恥辱に遠ざかる」というのは、何を意味するのであろうか。私はこれが重要な「礼」の機能だと考えている。恭しい礼というのはどういう場面で重要であるかを考えてみよう。

たとえばあなたが、職場で誰か抑圧的な上司から理不尽な攻撃を受けた、としてみよう。このとき、力関係からいって、ここはじっと我慢するしかない、と思って、怒りをぐっと飲み込んで、恭しい態度をとったとしよう。このとき、あなたは屈辱的な状態にあり、恥辱にまみれている。

逆に、その理不尽さに怒りにまかせて「ふざけんな、この野郎!」と怒鳴ったとすると、どうなるだろうか。このときには確かに恥辱にまみれてはいないが、相手は逆上し、猛烈な攻撃を仕掛けてくるであろう。如何に理不尽なことをされたからといって、上司にこういう態度をとれば、誰も同情してくれないので、孤立することは目に見えている。かくしてあなたは敗北し、最後には恥辱にまみれてしまうことになろう。

ではどうすればいいのだろうか。このとき、理不尽な攻撃に対してできるもっとも合理的な反撃は、恭しい態度で、誠実に、しかしきっぱりと、その攻撃の理不尽さを明らかにし、なぜそのようなことをするのか、理由を丁寧に尋ねることである。このように、抗議し反抗するときにこそ、恭しく礼儀正しい態度が必要となる。これを貫くことができるなら、周囲の人は同情し、上司の方が立場が悪くなり、折れてくる可能性が生まれる。かくして「恭が礼に近ければ、恥辱から遠ざかる」と言えるのである。

†頼るべき人に頼る

最後の「因不失其親、亦可宗也」という句は、最初の二句と構造が違う。ここは古来、意味がよくわからないので有名なところであり、「因」「親」「宗」が何を指しているのか、特定することが難しい。金谷訳は、

たよるには、その親しむべき人をとり違えなければ、本当にたよれる。

としている。私はこの方向で良いのではないかと思う。「因」を「よること」と読むのは、

殷因於夏禮、所損益、可知也、周因於殷禮、所損益、可知也（為政第二、二三）
殷は夏の禮により、損益する所、知るべき也。周は殷の禮により、損益する所、知るべき也。

という用例に対応する読みであり、ほぼ間違いがないであろう。ここをそう読めば、「親」は「親しむべき人」、「宗」は「本当に頼れる」という方向で解釈することになる。

ここについて私はもう少し踏み込んで解釈したいと考えている。というのも、「たよる」には、その親しむべき人をとり違えなければ、本当にたよれる」というような教えは、そのまま読むと、当たり前すぎて、馬鹿馬鹿しいようにも読めてしまうからである。

この章の最初の二句では、「義」と「礼」とが問題になっており、そのいずれも、君子として生きるために重要な教えが説かれていた。ということは、第三句も同様に、君子の生き方が説かれているに違いない。とするとその教訓は、君子たるためには、本当に頼りになる人を見出して、その人にたよるべきだ、ということなのだと私は考える。

普通の考えでは、君子は、誰にも頼らず自立しているので、頼りになる、ということになりかねない。しかしその考えは間違っている。君子が頼りになるのは、本当に頼りになる人に頼っているから、である。

というのも、人間は所詮、一人では生きて行けないのであって、だれかに頼らざるをえない。それゆえ、自立するためには、本当に頼りになる人を見出して、頼ることが大切である。間違って、頼りにならない人を頼ってしまうと、逆に頼られて重荷が増えて、ますます自立できなくなる。また、たとえ頼りになる人を見出しても、頼ることに躊躇していれば、意味が無い。それゆえ、君子たるもの、頼るべき人を見出し、困ったときには頼らねばならない、というのがこの句の教えである。

この章の全体を私は、次のように解釈する。

有子曰く。自らの言葉と心とが一致しており、そのありさまが義に近ければ、言葉は実現する。恭しさが礼に近ければ、恥辱から遠ざかりうる。親しむべき人を取り違えず、本当にたよりになる人に、たよるべきである。

これも傾聴に価する教えだと私は思う。

†恭而無禮則勞

次の章は、この章と密接に関係している。

子曰、恭而無禮則勞、愼而無禮則葸、勇而無禮則亂、直而無禮則絞、君子篤於親、則民興於仁、故舊不遺、則民不偸（泰伯第八、二）

朱子による新註では、「直而無禮則絞」のところで切って、「君子篤於親」以下を別の章だとしている。前後が繫《つな》がらない、というのである。果たしてそうであろうか。その点を含めて読んでみたい。

「恭而無禮則勞」という句は学而一三の「恭、禮に近ければ、恥辱に遠ざかる」を、逆の側面から見ていると考えて良いであろう。「恭、禮なければ、則ち勞す」と読み下して、「恭しくしていても、礼でなければ、（何をやっても）骨折り損である」という意味となる。

「愼而無禮則葸」は同様に、「愼、禮なければ、則ち葸《し》す」と読む。「葸」というのは、恐れてびくびくしている様子を示す。意味は、「慎ましくしていても、礼でなければ、不安になる」でよかろう。

†勇と乱

「勇而無禮則亂」というのは少し考えねばならない。「勇」という言葉は、「恭」や「愼」に比べると、論語では常に肯定的に用いられる言葉だからである。たとえば

見義不爲、無勇也（為政第二、二四）
義を見てせざるは、勇なきなり。

という句がまさにそれを示している。義というのは自らが道に沿っているときに出遇う自ずから見える「為すべきこと」だと私は解釈している。それが見えているというのに、勇がないと、実行できない、というのであるから、それでは君子とは言えない。ということは、勇は、まさに論語の示す生き方の根本を支えるものだと言えよう。

しかしそれでも、勇は、信と同じく、論語のなかで非常に重要な概念でありながら、基礎概念系列には入ってこない。それゆえ勇は、学而一三で信が恭と並べられたように、ここで恭や慎と並んでいる。

さて勇に礼がなければ、「乱」というのはどういう意味であろうか。実はこの「乱」という概念がなかなか難しいのである。言うまでもなくこの概念はあまり良い意味ではない。しかし、論語の中で、悪い意味にばかり使われているかというと、そうでもないのである。

舜有臣五人、而天下治、武王曰、予有亂臣十人（泰伯第八、二〇）

という句がある。「舜《しゅん》に臣五人有り、而《しこ》うして天下治まる。武王曰く、予に亂臣十人有り」と読む。この「乱臣」の意味は、たとえば吉川幸次郎によると、「ここの乱の字は、その字の普通の意味ではなく、あべこべに「治」の字の意味であって、すぐれた輔佐者十人をもったことを意味する。かく言葉が普通の意味とは全く反対の意味をあらわすことは、いわゆる「反訓」である」としている（吉川　一九九六、上二七五頁）。

同じ字が良い意味になったり悪い意味になったりするとはとんでもない、と思うかもしれないが、別に「反訓」と重々しい名称をつけるほどのことではない。たとえば上司が自分の部下のことを、「あいつは乱暴で困る」と言った場合、大抵は悪い意味であろうが、時にそれは最上級の褒め言葉ともなる。この「乱臣」というのはそういう意味であろう。

†盗とは

また、

子路曰、君子尚勇乎、子曰、君子義以爲上、君子有勇而無義爲亂、小人有勇而無義爲盗（陽貨第十七、二三）

子路《しろ》曰く、君子、勇を尚《とうと》ぶか。子曰く。君子、義以て上と爲す。君子、勇ありて義なければ亂を爲す。小人、勇ありて義なければ盗を爲す。

という章がある。その意味は、

子路が言った「君子は勇を貴びますか」先生は言った「君子は義を上とする。君子に勇があって義がなければ乱を為す。小人に勇があって義がなければ裏切る。」

小人がする「盗」というのはなんであろうか。白川静は『孔子伝』のなかで「盗」について次のように述べている。

秦の石鼓文に盗の字形がみえ、水の形を二つと、人が口を開く形の欠を、器上に加えている。皿は盟誓のときに用いる器で、古くはこれで血をすすって盟ったものである。それに水を加えたり、侮蔑的な状態を示す欠をそえているのは、盟誓をけがし、破棄する呪詛的行為を示す。(白川 一九九一、一三四頁)

共に犠牲の血を啜って絆を明らかにする「盟」の儀式をするための皿に、水を加え、侮蔑するのは裏切りであり、そういう行為を「盗」という。

この章の後半は、

君子：「勇」○、「義」×　⇓　「乱」
小人：「勇」○、「義」×　⇓　「盗」

となっている。「乱」は悪い意味かというと、少なくとも「盗」ほど悪くはない。それに「乱」は君子がすることなのであるから、悪いといっても本当に悪いことではない。

君子でも時には「義」を失うことがあるらしい。「義」は基本概念系列であるが、「勇」はそうではないので、両者が乖離することはあり得る。そうなった場合のありさまが「乱」だというのである。

✝乱と盗

乱と盗との違いは何だろうか。盗が人を裏切ることであるとすれば、乱は人を裏切ることなく生じる紛争のことであろう。それはつまり、人と人との信頼関係を前提として戦わされる意見や方針や考え方の相違をめぐる闘争ということになろう。

こういう紛争は組織にとって、ないよりもある方が良い。こういう争いがなく、いつも一つの見解が直ちに支配するような組織は、情勢の変化についていくことができないからである。むしろ、そういった意見の相違と、それを巡る紛争を通じて達成される調和が必要であり、それを「和」という。揉め事を恐れて異見を抑えつけるのは「同」である。「君子は和して同ぜず」であるから、君子同士の間に「義」を巡る紛争が生じたとしても、それは「和」に繋がるための道筋に過ぎない。これを「乱」というのである。これに対して「小人は同じて和せず」であるから、「同」になっていなければつながりを維持できない。そこで小人が「義」を巡る争いをすると、「同」が破れてしまうので、つながりそのものが失われる。かくしてこれまでにあった「盟」を破る「盗」となってしまうのである。

さて以上のように考えれば、「武王曰、予有亂臣十人」という句がなぜ良い意味で「乱」を使っているかは明らかである。お互いに自分の「義」を果たそうとして命がけで争う「勇」者が十人もいたお陰で、武王は天下に「和」をもたらすことができたのである。

†乱を通じた和

また大回りをしてしまったが、これで「勇而無禮則亂」の意味が明らかとなった。勇にして礼がなければ、それはつまり義が見えていないことを意味するので、乱、となる。しかしその乱は君子が行うなら、やがて和につながるものであって、盗ではない。

尚、陽貨二四章に、「君子も亦た悪《にく》むことありや」という子貢の問いに応えて孔子が、

君子が憎むいくつかのケースが挙げられており、そのなかに

悪勇而無禮（勇にして礼なきを悪む）

という句が含まれている。しかしここにも上と同じく、

君子：「勇」○、「礼」×　⇓　乱
小人：「勇」○、「礼」×　⇓　盗

という区分があり、ここで悪まれているのは「乱」ではなく「盗」なのだと考える。

†乱と絞

次に、

「直而無禮則絞」

を考える。「直」というのは、

子曰、人之生也、直（雍也第六、一九）
子曰く、人の生まるるや、直。

とあるように、人間の生まれながらの素直な感情を言う。「直」は「信」や「勇」と同じように、人間にとって重要な徳目であるが、しかし論語の基礎概念系列には属さない。「絞」を、金谷は「窮屈」、加地は「ゆとりがない」「融通がきかない」、貝塚は「辛辣」、吉川は「絞め上げる」と解釈しているが、いずれも特段の根拠があるようには見えない。

私はさきほど論じた、「君子有勇而無義爲亂、小人有勇而無義爲盜」（陽貨第十七、二三）を参考にしながら考えたいと思う。この章では「乱」が「盗」と対比されていた。

これに対してここでは「勇而無禮則亂、直而無禮則絞」と「乱」が「絞」と対比されている。「勇」も「直」も良い意味であるから、そこから礼が欠けて派生する「乱」も「絞」も、悪い意味にはならない。「乱」が「盗」と対比して違っているのは、盟を裏切るかどうか、であった。ということは、「絞」もまた、盟を裏切る方向ではない、と考えられる。

「直」と「勇」とはどう違うのだろうか。「直」というのは「人の生まるるや、直」であるから、「生まれたままの素直さ」という感じで、その人の魂のありように関する形容である。一方、「勇」は、「人の生まるるや、勇」ということはない。それはどうあってもその後の成長と関連している。これはむしろ、人が自らの感情や考えを、他者に対して表現するときの態度に関する形容である。

この違いが「乱」と「絞」とに反映しているはずである。絞は「糸＋交」であり、「交」は「交わる」である。人と人との関係で「交」は交際の意味である。「乱」が盟をゆるがせてしまいかねない方向であるのに対して、「絞」は盟を限定してしまう方向である、と考えたほうが良いのではないだろうか。つまり、「勇」で礼がなければ、盟を乱してしまい、逆に「直」で礼がなければ、盟の範囲を広げられず、絞ってしまう、というように。

✝恭と礼と親

以上でようやく前半が読めた。いよいよ、朱子が別の章として立てた後半に入る。もう一度掲げておこう。

君子篤於親、則民興於仁、故舊不遺、則民不偸

ここには「親」という字が出てくる。これはさきほど見た学而一三に、

恭近於禮、遠恥辱也、因不失其親、亦可宗也（学而第一、一三）

という形で、「恭」と「礼」と「親」とが出てきたことと関係している。それゆえ私は、この章を二つに分けてしまうことに反対である。この章は、前半で、「恭」と「慎」の対比と、「勇」と「直」との対比を、「礼」との関係で論じ、後半で「親」の問題を論じているのである。この構造は「学而一三」と同じである。

それゆえ、「君子篤於親、則民興於仁」という句もまた、学而一三の「因不失其親、亦可宗也」と関連付けて読むべきだと考える。後者の意味は、「頼るべき人に頼るなら、それは実にたよりになる」ということであった。その筋で考えると前者は、「君子は頼るべき人に篤実たるべきであり、そうすれば民は仁に目覚める」という意味になる。

なぜ君子が頼るべき人を大切にすると、民に仁が興るのであろうか。それは君子がよりしっかりとすることによって、君子に頼る民もよりしっかりとするからである。そうすることで人々が安心すると、人々の学習回路もまた作動するようになる。不安に駆られると

人は学習を停止し、安心すると作動させるものだからである。それゆえ、君子が頼るべき人を大切にすると、民の学習過程も作動し、仁に目覚める。

†偸と盗

「故舊不遺、則民不偸」はなんと読むか。「故旧」というのは古くからの知り合いだという。そういう人を冷遇しなければ、民は「偸」でないという。

偸という字は、『字統』（白川二〇〇七）によれば、偸のつくりの「兪」は、把手のある外科用のメスを表す「余」と、舟形の盤を表す「舟」とに従い、膿血を刺して盤に受けて治療する、という意味であるという。それゆえ、「愉」、「愈」、「癒」という字はその治療によって心やすらぐ意味となり、「輸」のように何かを何かに移し替える意味となる。「偸」に関しては、その治療によって得られる快癒が一時的な「偸安《とうあん》」に過ぎないことがあるので、「かりそめ」の意味であるという。そこから「偸薄《とうはく》」という「人情に薄い」という意味になり、「偸間《とうかん》」をむさぼる意味から「偸盗《ちゅうとう》」すなわち盗人という意味が生じた、という。

しかし「兪」に「移し替える」という意味があるのであれば、「偸」は、盟友との信頼関係を裏切って、別のところに移る、というように解釈した方が、「偸盗」という連文を理解する上で、整合的だと考える。そこから派生して、そういう簡単に人を裏切る人間の得られる安心が「かりそめ」に過ぎない「偸安」であり、そういう人の形成しうる人間関係が「偸薄」なものに限られる、というように考えればよいであろう。

このように考えるなら、陽貨二三で、「乱」と「盗」とが比較されていることを念頭に置けば、この章で「乱」と「偸」とが出てきたことは、合理的に理解できる。この推論が正しければ、「民不偸」は「民は裏切らない」という意味だということになる。

これでこの章の「泰伯二」の全文を解釈することができた。それは以下のようになる。

子曰く、恭しくとも、礼でなければ、消耗するばかりである。慎ましくとも、礼でなければ、びくびくとおびえることになる。勇であって、礼でなければ、関係が乱れる。直であって、礼でなければ、関係が絞られる。君子が頼るべき人を大切にすれば、民は安心して仁に目覚める。昔からの知り合いを適切に遇しなければ、民もまた人を裏切るようになる。

このように解釈すれば、この章もまた、「礼」というものの持つ、人間社会の秩序形成に関する重要な機能についての、深く、わかりやすく、一貫した教えである、と私には思える。

第5章 必也正名乎——名を正すとは

†名とは

子路曰、衞君待子而爲政、子將奚先、子曰、必也正名乎、子路曰、有是哉、子之迂也、奚其正、子曰、野哉由也、君子於其所不知、蓋闕如也、名不正則言不順、言不順則事不成、事不成則禮樂不興、禮樂不興則刑罰不中、刑罰不中則民無所措手足、故君子名之必可言也、言之必可行也、君子於其言、無所苟而已矣、（子路第十三、三）

この章は、論語の中でも、特に重要な章だと私は考えている。「正名」は、現代社会が最も必要としている思想である。

そもそも「名」とは何であろうか。これを問うことは、実のところ極めて厄介な哲学的問題に足を踏み入れることになろう。本書で私は、論語を徹底的に内在的に読む、という方針を堅持したいと考えているので、このような問題には立ち入らず、論語の内部における「名」の用法を検討することで、これを明らかにしたいのであるが、残念なことに、その用例は少ない。

「名」は大抵の場合、「名を成す」というような形で用いられており、それは端的に「名声」というような意味である。しかしこの章の「名」はそうではない。これは物事に与えられた名に関することである。これに関する用例は、

多識於鳥獣草木之名（陽貨第十七、九）

くらいしかない。これは、「鳥獣草木の名を多く識《し》っておきなさい」という意味であって、「名」とは何かについての手がかりとはならない。

おそらく本章に関連する論語の章は、

子曰、觚不觚、觚哉、觚哉（雍也第六、二五）

が挙げられよう。これは、

子曰く。觚《こ》、觚ならず。觚か、觚か。

と読むのだが、これだけでは何のことかわからない。觚とは、礼祭に用いる盃のことだぞ

うで、その大きさ（古註）あるいは形（新註）が、あるべき姿でないことを、孔子が怒っている、という意味だと解釈されている。

盃の大きさや形が違うくらいで、「觚哉！　觚哉！」と怒り狂っているというのは、筋金入りの頑固親父で、どうしようもない人のように見える。しかし、私は、孔子が怒っているのは、形や大きさの方ではなく、名の方だと思うのである。

なぜ盃の形が変わってしまったのかわからないのだが、古註によれば元々は祭礼の最中に飲み過ぎないように盃が小さく作られていて、それを「觚」と呼んでいたのであるという。吉川幸次郎によると、『五経異義』という漢代の本によれば、「一升を爵と曰い、二升を觚と曰い、三升を觶《し》と曰い、四升を角と曰い、五升を散と曰う」のだそうである。（吉川　一九九六、上一九一頁）

ところがみんな物足りないので、勝手に盃を大きくしてしまった。儀礼の最中にガブガブ飲んで酔っ払っている。おそらく孔子は、それは愚かではあるが、そうしたいならそれで良い、と思っているのだと考える。人情を抑圧するのは儒家にはふさわしくないからである。

彼が怒り狂っているのは、そうやって盃を大きくしたなら、もはや「觚」と呼ばずに、「觶《し》」とか「角」とか「散」とか、サイズに応じた名前で呼べ、と言って、激怒しているのだと私は考える。なぜなら小さいサイズの盃を使って、真面目に儀礼をやっているフリをして、実際には飲み会をやっているのは、欺瞞《ぎまん》だからである。

†名を歪める

こういうことをやっていると、何が起きるであろうか。儀礼の最中に酒を飲み過ぎるくらい、大したことではない。

しかしたとえば「危険」なことをしている人々が、それを「安全」と呼べばどうであろうか。何か大変危険な作業をやっているというのに、それを実行する人々が、これは絶対に「安全」な作業だ、と呼び変えて従事しているとすると、一体、どうなるであろうか。

最初は「安全」というのは「危険」を誤魔化すための呪文に過ぎないと思っているかもしれない。しかし何度も何度も「安全」と言っているうちに、やがて、「安全」な気がしてくるのである。すると、もはや危険に直面して作業しているという意識が薄れ、本当に「安全」だと思い込み、それを前提として作動するようになる。このような事態になれば、必ず安全意識が欠如し、事故が起きる。

しかしそこで「事故が起きた」と呼ばず、「事象が発生した」と呼べばどうであろうか。事故が起きているというのに、それを事象の発生と呼び替えていれば、やがて危険を安全と呼び替えたときと同じように、事故が事象であるような気がしてくる。そうしてついには、「事故など生じなかったのだ」というように思えてくるのである。するとどんな事故が起きようとも、全く反省しないようになってしまい、危険は更に増大する。

その挙句に、今度は大変な事故が起きる。何かが「爆発」するというような、大事故である。しかしそこで「爆発」と呼ばず、「爆発的事象」という名前をつけたらどうであろうか。目の前で大爆発が起きているというのに、それを「爆発的事象が起きました」と言っていれば、やがて今度も、爆発など起きていない、という気になってくる。

そうやって起きた大変な事態を収束させるには、その過程を「停止」させなければならない。しかしあまりに大変な事態なので、一向にうまく「停止」しないときに、その作業の責任を持つ人々が、「停止」はしていないけれど、「停止状態」には入った、などと言い出したらどうであろうか。停止しなければ被害が拡大しつづけるのであるから、必ず停止させなければならないというのに、「停止状態」になったからもう「安全」だ、これで事故は「収束」した、などというのである。すると彼らは、以前と同じ「安全」な作業を、何ら反省することなく、再開するであろう。(この問題については、安冨 二〇一二を参照のこと)

†像に名を与える

これが孔子の怒っていることである。「觚」を使わなくなったなら、別の名前でその盃を呼ばねばならない。「安全」でないなら「危険」と呼ばねばならない。「事故」が起きたなら「事故が起きた」と呼ばねばならない。「爆発」が起きたなら「爆発した」と言わねばならない。「停止」しないなら、「停止しない」と言わねばならない。そうしなければ事態が全く見えなくなってしまうのである。

日本人はアジア太平洋戦争の際に、侵略を「聖戦」と呼び、侵略軍を「皇軍」と呼び、退却を「転進」と呼び、全滅を「玉砕」と呼び、自爆攻撃を「特攻」と呼び自分の国のことを「神国」と呼んだ。このような歪んだ名を与えて思考すると、何が起きるかは明らかであろう。

これが「名を正す」ということの意味である。怖いものは怖い、嫌なものは嫌、好きなものは好き、やりたい事はやりたい、やりたくない事はやりたくない、死にたくないなら死にたくない。このように「名」を正しく呼ぶことが、人間がまともに生きるための第一歩なのである。ここを歪めてしまうと、そこから先は何が起きるかわからない。

というのも、人間は、世界そのものを認識して思考しているのではなく、「名」によって世界の「像」を構成し、それによって思考しているからである。名と名との関係性を組み替えたり、あるいは名を与えられた像の運動を構成したりすることで、我々は思考し、行動している。それゆえ、名を歪めてしまうと、我々は自らの世界に生じる事態について の正しい像を構成できなくなってしまう。（ウィトゲンシュタイン　二〇〇三年）

そうなると、世界に生じた問題に対処しているつもりでいるというのに、実際には歪んだ名に従って捏造された像を構成し、その像に対処してしまう。これでは実際に起きていることには対処できなくなる。このような人間の集団は、全く機能しない。そればかりか、異常な像を相互に構成しあって、異常な行動を繰り返し、それを正当化するために更に名を歪め、異常な像を捏造し、という形で、暴走を始めてしまう。

名を歪めることは、最も恐ろしい行為である。それゆえ孔子は、何よりもまず名を正すべきだ、と言うのである。名が正されるなら人は、どんなにひどい事態であっても、創造的に対応することができる。

既に述べたように、

「過ちて改めず、これを過ちという」
「これを知るをこれを知るとなし、知らざるを知らざるとなす、これ知るなり」

これが論語の基本思想である。これを実現するためには、名が正されていなければならない。もし「過」に「義」という名を与えてしまえば、もはや改めることは不可能だからである。「不知」に「知」という名を与えてしまえば、もはや知ることは不可能だからである。

†名を正すことの意味

このような観点から、本章の冒頭に掲げた章を読み下し、解釈してみよう。

子路《しろ》曰く、衛《えい》の君、子を待ちて政を爲さば、子將《まさ》に奚《なに》をか先にせん。子曰く、必らずや名を正さんか。子路曰く、是れ有るかな、子の迂なるや。奚《なん》ぞ其れ正さん。子曰く、野なるかな、由《ゆう》や。君子は其の知らざる所に於いては、蓋闕如《かつけつじょ》たり。名正しからざれば則ち言順わず、言順わざれば則ち事成らず、事成らざれば則ち禮樂興らず、禮樂興らざれば則ち刑罰中《あた》らず、刑罰中らざれば則ち民の手足を措く所なし。故に君子はこれに名づくれば必らず言うべきなり。これを言えば必らず行うべきなり。君子、其の言に於いて、苟《いやし》くもする所なきのみ。

子路曰く「（危機に瀕している）衛の国の君主が、先生をお迎えして政治をするとすれば、先生は何を最初になさいますか」。子曰く「必らずや名を正そう」。子路曰く「これですからね、先生の迂遠ぶりは。どうしてそんなものから正すのですか」。子曰く「粗野だな、由は。君子はよくわからないことについては、口をつつしむものだ。名が正しくなければ、言葉が事態に順応しない。言葉が事態に順応していなければ、仕事もうまくいかない。仕事がうまくいかなければ、礼楽が興らない。礼楽が興らなければ、刑罰が当を得ない。刑罰が当を得なければ、民は（不安で）手足を措く所もない。故に君子は、物事にふさわしい名を与え、そうすれば必らずそれを言葉にするべきである。これを言葉にすれば、必らず実現すべきである。君子はその言葉において、いい加減にすることはない」。

このなかで「野」というのは、

子曰、質勝文則野、文勝質則史、文質彬彬、然後君子（雍也第六、一八）
子曰く、質、文に勝れば則ち野、文、質に勝れば則ち史。文質彬彬《ひんぴん》とし然る後に君子。

という章からわかるように、質が文に勝っている状態である。質というのは「性質」であり、文というのは「習得したこと」だと考えてよいだろう。生まれながらの性質が、習得したことを上回っている状態が「野」であり、生まれながらの性質を習得したことが圧倒してしまっている状態が「史」である。「史」というのは文献を管理する役人のことである。いかにも頭が固そうである。

「名正しからざれば則ち言順わず」の「順」を、「順応」と訳したが、「言順わず」というのは、言葉が事態に対応していない、ということである。危険なものを「安全」といって名を歪めてしまったら、どのように言葉を紡いでも、事態に即応したまともな議論はできない、という意味である。そうやって言葉が空転していれば、「事成らず」とならざるを得ない。

「事成らざれば則ち禮樂興らず」とは何のことであろうか。「礼」というのは既に論じたように双方が学習過程を開いているときに形成される調和のとれたメッセージのやり取りのことである。「楽」とは音楽のこととされる。なぜ音楽が大切なのかというと、音楽を通じてその人の心の傷が明らかになるからだと私は考えているが、これについては本書では詳述しない。

しかし「楽」は音楽に限定されるものではないと思う。たとえば「楽」を「娯楽」と考えることもできる。その場合の娯楽は、「仕事」と「娯楽」というように区切られたものと考えるべきではない。このような峻別が進むのは近代のことであって、かつて人々はなるべく仕事と娯楽とが一体になるように努力していた。田植えをするには純粋に田植えだけするとつらすぎるので、「田楽」という形で、労働と宗教的儀礼と遊びとを一体化させていた。

仕事がうまく進まないと、皆、不安になる。不安になると学習回路が閉じる。そうなると、礼も楽もあったものではない。田植えの祭りや田楽がうまくいかなければ、田植えもうまくいかない。そうなると、仕事はますます進まなくなる。こういう悪循環が起きてしまう。「事成らざれば則ち禮樂興らず」というのは、このように考えれば奇妙なことではない。

これは現在でも同じことであって、企業などの組織運営を、ギリギリと仕事の効率だけを考えてやっていると、そのうちおかしなことになるものである。組織の中の礼楽を興さないで、仕事の成果だけを興そうとしても無理というものである。同時に、礼楽だけ興して仕事の成果を考えないのも駄目であることは、言うまでもないが。

さて、「禮樂興らざれば則ち刑罰中らず」というのは、甚だしいこじつけの様に見えるかもしれない。しかし組織内のコミュニケーションが礼楽によって支えられ得ていない状態では、賞罰がうまくいかない、ということは当たり前のことではないだろうか。組織内の人間関係がギスギスしていると、人は身を守るために表面を糊塗するようになる。誰もが表面を糊塗すると、実際のところ人々が何をやっているのか、経営者には見えなくなってしまう。そうなると、誰が善で誰が悪か、見分けるのが難しくなる。その状態で賞罰をすると、表面を糊塗して裏で悪事を働いているものを賞し、そういう者を懲《こ》らしめようとする者を罰することになる。かくして礼楽興らざれば、則ち刑罰中らず、ということになる。

ひどい人間がどんどん出世して権限を拡大し、それを正そうとする者が罰せられるのであれば、組織内の権限を持たない人々は、どうしようもなくなってしまう。これでは「刑罰中らざれば則ち民の手足を措く所なし」と言わざるを得ない。私は現在では、もう日本中がこういう状態になっているように感じる。それというのも、名を歪めるからである。そ

それゆえ君子は、物事の名を、誰彼憚《はばか》ることなく、命を掛けて言葉にすべきである。そうしなければ世の中が狂ってしまうからである。

「言之必可行也」という言葉は、二つの意味を含んでいる。君子は之を言えば、必ず行うべきだ、というのが一つの意味である。それと同時に、君子が之を言えば、必ず行われる

はずだ、という意味にも読める。私はそのように読みたい。歪みきった世に、君子が正しい名を言えば、その人は殺されるかもしれない。しかし命を掛けて君子が言えば、それはやがて実現される、と信じたいのである。もしそうでなければ、もう人類に希望はないのだから。

君子於其言、無所苟而已矣

という句は少し意味をとるのが難しい。「無所苟而已矣」というところが何のことか判然としないからである。「而已矣」がそれ自身としては意味を持たない助辞だとすると、「無所苟」が意味を持たないといけないのだが、「苟」は普通は、動詞ではなく、「いやしくも〜」というような構文を作る字だからである。しかし「苟」は「かりそめにする」「いいかげんにする」というような意味があり、そう解釈すると、「君子はその言葉において、いい加減にすることはない」という意味になる。ひとまず、そのように読んでおきたい。

第6章

孝弟而好犯上——孝とは

†孝弟は仁の本

有子曰、其爲人也、孝弟而好犯上者、鮮矣、不好犯上而好作亂者、未之有也、君子務本、本立而道生、孝弟也者、其爲仁之本與（学而第一、二）

論語の冒頭の「学習」の章の次に出てくる有名な章である。これはたとえば金谷は次のように解釈する。

有子《ゆうし》がいった、「その人がらが孝行悌順《ていじゅん》でありながら、目上にさからうことを好むようなものは、ほとんど無い。目上にさからうことを好まないのに、乱れを起こすことを好むようなものは、めったに無い。君子は根本のことに努力する、根本が定まってはじめて〔進むべき〕道もはっきりする。孝と悌《てい》ということこそ、仁徳の根本であろう。」

このような考え方は、いわゆる儒教のイメージに一致している。中国人が、現代人でさえ、親孝行に強いプレッシャーを感じている原因は、この章にあるかもしれない、と思うほど、いわゆる儒教道徳を見事に表現しているように見える。

†乱と犯

しかし、私はこの読み方が腑に落ちない。なぜかというと、既に見た、「武王曰、予有亂臣十人」（泰伯第八、二〇）が気になるからである。私は既にこの章を拠点にして、「乱」と「盗（あるいは偸）」とが本質的に異なっている、という議論を展開した。この観点からすると、学而二を、このように読んでしまうと、「乱」の概念が矛盾を来すことになる。

私は論語を、論理的に一貫した本だと考えているので、この矛盾をそのまま飲み込むことができない。そう考えると、

不好犯上而好作亂者、未之有也、

という句の「作亂者」は、「乱臣」のことだと考えた方が論理が一貫する。そうすると、「不好犯上で、乱臣となった者は、一人もいない」という意味になる。ということは、「上

を犯す」というのは、正しい行為だと言う事になる。
そんな馬鹿なと思うかもしれないが、論語には次のような章がある。

子路問事君、子曰、勿欺也、而犯之（憲問第十四、二三）

これは次のような意味である。

子路《しろ》が主君に仕えることを問うた。子曰く、「欺くな。そしてこれを犯せ。」

ここで孔子は明らかに、子路のような乱暴者に対してさえ、「之を犯せ」と主君に立ち向かうようにけしかけている。主君を決して欺かず、そして間違っていると思えば立ち向かえと。それゆえ、「上を犯す」（目上にさからう）のは間違いなく孔子の教えに従っているのである。この解釈を否定することは、絶対に不可能である。
だとすると、「其爲人也、孝弟而好犯上者、鮮矣、不好犯上而好作亂者、未之有也、」はどのように読めば良いのであろうか。私は次のように読み下す。

その人と爲りや、孝弟にして、好く上を犯す者は、鮮《すく》なし。好く上を犯さずして、好く亂を作《な》す者は、未だこれ有らざるなり。

そして次のように解釈する。

その人となりが孝行悌順であり、よく目上にさからう者は、少ない。よく上を犯さずして、よく乱を作す者は、未だかつてない。

†「犯」しても「校」されない

「好」という字は、論語に良く出てくるが、一般に「好む」と解釈される。「好犯上」の「好」を好むと解釈してもよいと思うが、この場合の意味は、「好き」ではなくて、「よく～する」の方であろう。「好犯上」は「よく上を犯す」、「好作亂」は「よく乱を作す」ということになる。もちろん、しばしばそういうことをするのであるから、そうするのが好き、ということでもあるのだが。しかしそれと共に、この字はもちろん、「好い」という肯定的な意味を帯びている字であるから、この「よく～する」には、うまく、見事に、というような意味があると考えてよいと思う。もしも「上を犯す」や「乱を作す」を悪い意味に限定したいのであれば、わざわざ「好」という字を使う必要はないであろう。

考えてみれば主君に諫言するときに、激怒させてしまって、死刑にでもされたらただの犬死である。諫言するのは、主君の間違った判断を変えてもらうのが目的であるから、なるべく怒らせないように、うまくやらないと危険であるし、意味がない。

「犯」という字については、次の注目すべき章がある。

曾子曰、以能問於不能、以多問於寡、有若無、實若虚、犯而不校、昔者吾友嘗従事於斯矣（泰伯第八、五）

曾子《そうし》曰く、能を以て不能に問い、多きを以て寡《すくな》きに問い、有れども無きが若《ごと》く、実《み》つれども虚《むな》しきが若く、犯せども校されず。昔者《むかし》、吾が友、嘗《かつ》て斯《こ》に従事せり。

この章の「犯而不校」は普通、「犯されて、校《むく》いず」と読み、「害されても、仕返しをしない」と解する。しかし、そんな腰抜けは、君子にふさわしい態度ではない。

さすれば、「犯而不校」は「犯」をしても「不校」という意味になる。「校」とは何かであろうか。つくりの「交」は、もともと足を組んでいる人の様子であり、それに「木」が付いているので、「校」は、木を格子状に組み合わせたものを意味する。つまり牢屋や手枷足枷である。

このことを念頭に置けば、「犯而不校」は、「上を犯しても失礼がなく、目上の人が納得するので、牢屋に入れられたり手枷足枷を掛けられたりするような目に遭わない」という意味だと考えられる。

†君子の従事のやり方

この章はつまり、以下のような意味になる。

曾子曰く。「能があるのに（謙虚で）、能のない者にも問い、多く知っているのに（謙虚で）、寡しか知らない者にも問い、功績が有っても（誇らないで）無いかのように振る舞い、実があるけれども（誇らないで）虚であるかのように振る舞い、それゆえ、上を犯しても刑罰を受けたりなどしない。昔、吾の友は、かつてそのように事に従っていた」

これが君子の従事の仕方である。私は、この章の「犯而不校」の方向で、「好犯上」を解釈するべきだと考える。つまり、「よく（そして、うまく）上を犯す」という意味に取るのである。

†孝と孝のフリ

では一体、どういう人が、主君に敢然と諫言し、しかも殺されたり刑罰を受けたりしないでいられるだろうか。それは、親との関係が好い人だろうか、それとも悪い人だろうか。本当に親に愛されて親を愛しており、何の作為もなく自然な振舞が孝行となる人だろうか。それとも、本当は親に愛されておらず、自分も親のことが嫌いだけれど、義務的な感情や体面のために、親孝行に精を出しているフリをする人だろうか。

親に愛され、親を愛している幸福な者は、目上の人にもよく愛されるのではないだろうか。そういう人こそ、自分の親が間違ったことをしていると思えば、「それはおかしいよ」と言えるのではないだろうか。そういう人こそ、主君が間違ったことをしていれば、勇気をもって諫言することができるのではないだろうか。親に諫言するのに怯《おび》えを感じる者が、主君に諫言するのに、怯えを感じないでいられるだろうか。

親に怯えずに、しかし失礼にならずに諫言できる人は、多いだろうか、少ないだろうか。そういうことは、本当に好い親子関係が前提でなければできないように思う。そして私は、本当に好い親子関係を取り結んでいる人は、実に少ないと思う。そしてそういう人なら、危険を冒してでも、目上の人に自分の考えをしっかりと、しかし失礼にならないように言えるのではないか、と考える。

「其爲人也、孝弟而好犯上者、鮮矣」という句は、「その人柄が、孝弟であって、それゆえ、うまく目上の人にしっかりと自分の考えを言うことができる者は、少ない」という意味だと考える。同じように、「不好犯上而好作亂者、未之有也」という句は、「よく目上の者にしっかりと自分の考えを言えない者が、よく乱をなす者である、ということは、未だかつてない」という意味に解釈する。

「作亂」というのは、義のために礼を尽くしつつ、盟を守りながら意見を対立させ、それを通じて「和」をもたらすということである。これは、「犯上」よりも遥かに難しい。それゆえ、好く上を犯す者でないというのに、好く乱を作す者である、などということは、絶対にあり得ない。こういうことができるなら、まさに君子であり、そういう人こそ「仁」である。それゆえ有子は次のように言う。


君子務本、本立而道生、孝弟也者、其為仁之本與

これは、「君子は根本を大切にする。根本が定まってはじめて道が生じる。孝弟なるものは、それこそまさに仁の根本である」という伝統的解釈で良い。

かくしてこの章は、次のように読み下し、解釈することになる。

有子曰く。其の人と爲りや、孝弟にして好く上を犯す者は、鮮なし。好く上を犯さずして、好く亂を作す者は、未だ之れ有らざるなり。君子は本を務む、本立ちて道生ず。孝弟は、其れ仁の本を爲すか。

有子は言った。その人柄が、孝弟であって、それゆえ好く上を犯す者は、少ない。好く上を犯すことができないでいて、好く乱をなして（本当の意味での調和をもたらす）者は、いまだかつてあったことがない。君子は、根本を大切にする。根本が定まってはじめて進むべき道が生じる。孝弟こそは、まさに仁の根本をなしている。

†親のあり方と「孝」

「孝」というものは、子供の義務ではない。そんな人間の本性に反することを、孔子は強要したりなど、決してしない。そんなものが、社会の調和の基礎になったりなどしない。そんなものが学習を促したりはしない。

「孝」というのは、親子関係が親密であって本当に慈愛に満ちているときに生じる、子供の自然な親への感情のことである。親の慈愛がなければ、子の孝はない。それは子供から親への一方的感情ではあり得ない。親が子供を愛し、慈《いつく》しむことが、子供の親への孝の前提である。前者が欠いていれば、後者もない。その場合には「孝行のフリ」などする必要はない。

†三年之喪

論語には次のような章がある。

宰我問、三年之喪期已久矣、君子三年不爲禮、禮必壞、三年不爲樂、樂必崩、舊穀既沒、新穀既升、鑽燧改火、期可已矣、子曰、食夫稻、衣夫錦、於女安乎、曰、安、女安則爲之、夫君子之居喪、食旨不甘、聞樂不樂、居處不安、故不爲也、今女安則爲之、宰我出、子曰、予之不仁也、子生三年、然後免於父母之懷、夫三年之喪、天下之通喪也、予也有三年之愛於其父母乎、（陽貨第十七、二一）

宰我《さいが》問う。三年の喪は期にして已に久し。君子三年禮を爲さずんば、禮必らず壞《やぶ》れん。三年樂《がく》を爲さずんば、樂必らず崩れん。舊穀既に沒《つ》きて新穀既に升《のぼ》る、鑽《すい》を燧《き》りて火を改む。期にして已むべし。子曰く、夫の稲《か》を食らい、夫の錦《き》を衣る、女《なんじ》に於いて安きか。曰く、安し。女安くんば則ちこれを爲せ。夫《そ》れ君子の喪に居る、旨きを食らうも甘からず、樂を聞くも樂しからず、居處《きよしよ》安からず、故に爲さざるなり。今女安くんば則ちこれを爲せ。宰我出ず。子曰く、予《よ》の不仁なるや。子生まれて三年、然る後に父母の懐を免《まぬが》る。夫れ三年の喪は天下の通喪なり。予や、其の父母に三年の愛あらんか。

この読み下しは基本的に金谷に従っており、少しだけ、体裁を本書の他の読み下しに合わせてある。

この章を私は次の様に解釈する。宰我というのは孔子の弟子で、姓は宰、名は予、字は子我である。「予」というのも宰我のことである。「三年の喪」というのは、親が死んだら足掛け三年間は喪に服すべきだ、という儒家の主要な主張点である。この重要な論点について、宰我が孔子に異議をとなえているのである。意味を解釈しておく。

宰我が問うた。「三年の喪は、期間があまりにも永すぎます。君子が三年も礼を修めなければ、礼は必ずやだめになってしまいます。三年も楽を修めなければ、楽は必ずや崩れてしまいます。古い穀物がなくなって、新しい穀物が実り、火取りの木をこすって火を作りかえるまでが一年ですから、喪に服するのも一年でやめて良いでしょう」。子曰く「その米を食べて、その錦を着ても、お前にとっては何ともないのか」。曰く「何ともありません」。「お前にとって何ともないのであれば、そうしなさい。そもそも、君子が喪に服するというのは、うまいものを食べても美味しくないし、音楽を聞いても楽しくないし、住まいに居ても落ち着かない。だからやらないのだ。だから、今、お前にとって何ともないなら、そうしなさい」。宰我が退出すると、子曰く「予の不仁であることよ。子どもは生まれて三年たって、ようやく父母の懐から離れる。この三年の喪は、天下の通喪である。予には、その父母に、三年の愛があったのだろうか（なかったに違いない）」。

†三年之愛

この章の解釈を決定的に規定するのが「予也有三年之愛於其父母乎」という句をどう読むかである。ここには色々な説があるらしいのだが、それらはいずれも、父母に、子どもに対する三年の愛があるのは、当たり前だ、という大前提のもとで議論が行われている。

しかしこのような前提が成り立たないことは、既に明らかである。もしそうなら、幼児虐待などというものは、この世に存在しないだろう。

実際には、悲しいことに、世界中どこでも、子どもは虐待されている。暴力を振るわれたり、育児放棄されたりして殺される子どもすら、数限りなくいる。しかも、そういう子どもだけが虐待されているのではない。殺されなくとも、暴力を振るわれ、ろくに食べ物も与えられずに、屈辱にまみれて、いたぶられながら育つ子どもは、いくらでもいる。

そういう目に見える暴力を受けなくとも、目に見えない精神的暴力を受ける子どもは、それこそ、無数にいる。無視されたり、嫌がらせをされたり、やりたくもないことをやらされたり、覚えたくもないことを覚えさせられたり、行きたくもないところに行かされたりする子どもは、無数にいる。

子どもの必死の訴えは、いつも無視される。うるさいといって怒鳴られる。怒鳴られなくとも、「困った子だ、いけない子だ」と嘆かれて、罪悪感を植えつけられる。そうやってろくな愛を与えられず、「愛と称するもの」を与えられて育つ子供が、実は多数派である。（ミラー　二〇〇四、グリューン　二〇〇五）

自分の子どもを、神の嬰児として、本当に愛して、慈しむ親など、本当に少ない。まさに「鮮《すく》なし」である。この事実に目を瞑ると、世界の見え方は、まったく歪んでしまう。

それゆえ、親の子に対する「三年の愛」が与えられることが、当然でないばかりか、稀でさえあることを前提として、この章を読まねばならない。宰我には「三年の愛」が与えられなかったのかどうか。私は、与えられなかった、と解釈しなければ、この章は理解できないと考える。

†親の愛が仁の本

そのような観点に立つと、「予也有三年之愛於其父母乎」は、「予や、其の父母に於いて、三年の愛、有、乎」と分析し、「乎」を反語の助詞と見るべきだ、ということになる。孔子は、宰我の父母には、子どもへの三年の愛というものが、あったであろうか、いや、あったはずがない、と言っているのである。

父母が宰我に三年の愛を与えなかったので、宰我は当然ながら、孝たり得なかった。「孝弟は其れ仁の本を爲す」のであるから、孝でない者は仁の本を欠いている。それゆえ孔子は、「予之不仁也」と言ったのである。

三年の愛が与えられなかったのであるから、宰我は、親が死んでも屁の河童であり、旨いものを食えば旨いし、良い服を着れば気持ちがよかったので、それで別になんともなかった。何ともないので、一年の喪でも馬鹿馬鹿しくてやっていられないので、孔子に、もう十分でしょう、と言ったのである。

孔子は何と応えたか。もしお前が、旨いものを食えば美味しくて、良い服を着れば気持ちが良くて、それで何ともないのなら、三年の喪に服さなくて良い、と応えたのである。それは宰我が三年の愛を与えられず、不孝であり、不仁である以上、仕方のないことであって、それを無理強いしたところで、何の意味もない。人情に逆らうことを強要するのは、儒家の思想に反するので、当然、孔子は宰我に三年の喪を強要しなかった。

しかしもし宰我が、両親に本当に愛されており、両親を心から愛する「孝」であったとしたら、親が死んだらどう感じただろうか。親が大好きであれば、親が死ねば悲しいだろう。つらいだろう。何を食べても美味しくないだろう。音楽を聞いても楽しくないだろう。良い服など着る気もしないだろう。家にいても落ち着かないだろう。一年経って命日が来れば、また悲しみが新たになるだろう。二年経ったら少しは落ち着くかもしれない。そうすればそろそろ悲しみが治まってくるかもしれない。

貝塚（一九七三、五一二頁）によれば、三年の喪というのは、まる三年ではなく、二五〜二七ヶ月だというので、ちょうどその頃に、漸《ようや》く日常に戻ろうか、という気になるのであろう。宰我の如く、「三年之愛」に恵まれなかった不孝者の私には、想像することしか出来ないが、本当に両親に愛された子どもというものは、親を亡くせばこのように感じるものではないだろうか。もしそうなら、私は心の底から、そういう人をうらやむ。

それゆえ孔子は、「夫三年之喪、天下之通喪也」と言うのだと思う。それは「きまり」だからというのではない。それでは法家の思想である。孔子はそれが人情というものだ、というのである。

†孝の社会

想像して欲しい。もし全ての親が、本当に子どもに「三年之愛」を与える社会であったとしたら。もし全ての者が、親に本当に慈しまれて育ち、自分は無条件に受け入れられている、と感じて育つことができたとしたら。我々の社会はどのような姿になるだろうか。

このような社会では、親が子どもを虐待するなどということは、想像もつかない事となろう。子どもが孤独と絶望とに苛《さいな》まれることも、あり得ない。誰かが自信を失って、自己嫌悪に苦しむこともない。苦しい時には、親が支えてくれる、と確信している。そのような子どもの集まる学校で、いじめが生じたりするだろうか。

全ての人が「孝」であり、それゆえ「仁の本」を持っている。誰もが「礼」を大切にしつつ、好く上を犯し、誰もが好く乱を作し、そうやって各人の「義」をぶつけ合って、進むべき「道」が自ずから生じる。そのような、いじめを見たことも聞いたこともない子どもが成長して構成する組織が、奇妙な言語を弄して名を歪め、欺瞞の言葉を弄して他人を騙したり、搾取したりするだろうか。

そこには数多くの君子がおり、数多くの仁者がいる。このような状態の社会があるとすれば、それはまさに天下に「仁」が満ちていると言うに相応《ふさわ》しいのではないだろうか。

第7章

仁者不憂——仁とは

1　不仁を悪む

†仁の構造

本章では論語のもっとも重要な概念である「仁」について考えたい。最初に考えるべきは、既に論じた「知」と「礼」と「和」との構造である。それらはいずれも、

（知／不知）→知
（礼／非礼）→礼
（和／不和）→和

という「（A／$\bar{A}$）→A」の構造を持っていた。それ以外にも「過」「如何」も同様の構造を持つ。

それゆえ、最高徳目たる「仁」も同じ構造を持つのではないか、という考えが頭をもた

げる。まずは試しに「知」と同じ式を「仁」について描いてみよう。

（仁／不仁）→仁

（／）は、仁たる状態と不仁たる状態とを峻別する行為を意味する。このとき右辺の仁が変化し、それが左辺の仁と不仁の境界を書き換える。そういう動的な過程である。

このように書いたなら、式の中の「仁」は書き下し可能な徳目となる。しかしそれはあくまでその瞬間のことであり、この（仁／不仁）という区別を用いて世界に対応するという操作を行うたびに、その内容を解釈する「私」が変化するという運命を負っている。このような姿勢を獲得したとき、言い換えれば、この学習過程の全体を構成し得たとき、それはすなわち「仁」なのである。

†仁遠乎哉

この観点から論語の「仁」に関する記述を順に検討して行きたい。まずは次の章を考える。

子曰、仁遠乎哉。我欲仁、斯仁至矣。（述而第七、二九）
子曰く、仁遠からんや。我仁を欲すれば、斯ち仁至る。

この章も、謎めいている。仁という儒教最高の徳目に到達するのに、いま自分が仁を行おうと思えば、すぐに仁に至るという。

しかし「仁」を学習過程として理解すれば、この章を理解するのは難しくない。己の魂の動きの、仁なるものと、不仁なるものを峻別する、その峻別ができたとき、己の不仁を改める回路が作動し始める。それと同時に、新たに仁とはなにかという問いが作動する。この過程が作動すればすなわち仁である。それゆえ、仁を欲して、回路を作動させれば、則ち仁ここに至る。

これと同様のことが、次の章でより具体的に言われている。

子曰、譬如爲山、未成一簣、止吾止也、譬如平地、雖覆一簣、進吾往也（子罕第九、一九）
子曰く、譬《たと》えば山を爲《つく》るが如し。未だ一簣《き》を成さざるも、止むは吾が止むなり。譬えば地を平らかにするが如し。一簣を覆すと雖《いえ》ども、進むは吾が往くなり。

この意味は、

子曰く、「たとえば山を作るようなもの、もう一簣というところでも、やめてしまえば、自分はもうやめたのである。たとえば土地をならすようなもの、ただ一簣、土を運んだだけでも、進むのであれば、自分は歩いているのである」

ということである。やめてしまえば、もう少しで完成するところでもやめたことに変わりはなく、やり始めたばかりでも、始めればそれで進んでいることに変わりはない、という教えである。

いま、魂の状態が歪んでおり、学習過程が開かれていないとしよう。そのとき、仁に志して、学習回路を作動しえたとする。しかしこの段階では仁が何を意味するのか、よくわからない。それでも、自分の魂のなかの、仁だと感じられることと、不仁だと感じられることを、とりあえず峻別できれば、不仁を解消するための探求を開始することができる。この探求によって、仁についての自分の見方も深められる。こうして新たに、仁/不仁の峻別を行い、仁についての感覚を修正する、という学習回路を作動させつづけることで、己の魂の状態を高めることができる。
　このとき、回路を作動させたのであれば、それがほんの第一歩であっても、作動させているのであり、止めてしまったのであれば、たとえどんなに進んでいたとしても、止めてしまったのである。作動している状態が「仁」であり、止まってしまえば「不仁」である。論語の仁とはこのようなものではなかろうか。
　アメリカの哲学者ハーバート・フィンガレット（Fingarette, Herbert）は、論語について論じた *Confucius: The Secular As Sacred* の中で、この問題について重要な指摘をしている。フィンガレットによれば、「目指すこと（aiming）」に失敗がありえないように、「仁」は「関心の形（form of concern）」なのでそもそも失敗がありえない、というのである。（Fingarette, 1972, p. 152）
　孔子が子路に対して、「知」という探求の回路を起動させるメッセージを送ったのは、これと同じ構造になっている。知る、という過程を始めるかどうかが問題なのであって、知識そのものは問題とならない。「知」もまた態度であって、知ろうとした瞬間に「知」なのであり、そう思ったけれど失敗した、ということはあり得ない。もし「知」の回路が作動していないのであれば、それは知ろうと思えていない、ということであるから。

†仁を仁と為す

仁が知と同じ構造になっているのであれば、次のような言葉が論語にあっても良いように思う。

子曰、仁爲仁、不仁爲不仁、是仁也。（仁為第二十一、一）
子曰く、仁を仁となし、不仁を不仁となす。これ仁なり。

このような章は実際には論語に見られないが、勝手に作ってみた。このような見方からすると、難解とされる章が読みやすくなるケースが論語のなかにいくつかある。たとえばそれは次の章である。

子曰、我未見好仁者惡不仁者、好仁者無以尙之、惡不仁者其爲仁矣、不使不仁者加乎其身、有能一日用其力於仁矣乎、我未見力不足者、蓋有之乎、我未之見也、（里仁第四、六）

貝塚（一九七三）によれば、この章は「『論語』のなかのもっとも難解な文章の一つとなっている。古今の注釈のどれも明快を欠いている」という。そういう貝塚自身は、字を訂正するという手術を施しているものの、その読みは余計に納得できかねるものとなっているように私は感じる。

管見の限り、この章の読みで最も素直なのは金谷であると思うので、まず、その読み下しを示そう。

子の曰わく、我れ未だ仁を好む者、不仁を悪《にく》む者を見ず。仁を好む者は、以てこれに尚《くわ》うること無し。不仁を悪む者は、其れ仁を為す、不仁者をして其の身に加えしめず。能く一日も其の力を仁に用いること有らんか、我れ未だ力の足らざる者を見ず。蓋《けだ》しこれ有らん、我れ未だこれを見ざるなり。（金谷　一九九九、七二〜三頁）

金谷の解釈は以下の通りである。

先生がいわれた、「わたくしは、まだ仁を好む人も不仁を憎む人も見たことがない。仁を好む人はもうそれ以上のことはないし、不仁を憎む人もやはり仁を行なっている、不仁の人をわが身に影響させないからだ。もしよく一日のあいだでも、その力を仁のために尽くすものがあったとしてごらん、力の足りないものなど、わたくしは見たことがない。あるいは〔そうした人も〕いるかも知れないが……、わたくしはまだ見たことがないのだ。」

この章で問題なのは、「仁を好む人も不仁を憎む人も見たことがない」と言っておきながら、「仁を好む人」や「不仁を憎む人」について延々と講釈するという事態が奇妙な点である。しかもそこを我慢したとしても、全体として見た場合、やはり何を言っているのかよくわからない。

†不仁を悪む

この章は、学習という考え方を念頭に置いて読むと、明快に理解することができる。

まず、「我未見好仁者悪不仁者」を一続きで読まず、「我未見好仁者。」で切る。するとその読みは、「我いまだ仁を好む者を見ず」となる。

そうすると、次の四文字「悪不仁者」が浮いてしまうが、これは「(見たことがあるのは) 不仁を憎む者だ」と読むべきだと考える。あるいはこの四文字の前にあった「見」が落ちたのかもしれない。つまり、仁を好む人、というのは見たことがないが、不仁を憎む人なら、見たことがある、というのである。これは考えてみれば、自然な考えである。

たとえば、自分が汚い行為をしてしまったときにそれを恥じるのは自然であり、このような感情を抱く人は何かしらの高潔さを維持している。逆に、自分がなにか良い行為をしたときに「自分を誉めてあげたい」という感情を抱くのは不自然であり、ナルシスティックである。たとえその行いが高潔であるように見えても、このような感情は高潔ではない。

フィンガレットの言うように、仁は態度であるから、そのような態度をとっている自分を好きとか嫌いとかいうようなものではない。「仁者は仁に安んず（里仁第四、二）」というように、あるいは「仁に里るを美しと為す（里仁第四、一）」というように、安心や充実感を以って受けとめるべきものである。

つまり、それは空気のようなものであり、空気があれば何も感じないが、空気が足りなければ、息が苦しくなって感じる。空気があれば人は何もしないが、空気が足りなくなれば、苦しくなってそこを抜けだそうとする。空気がある状態を好む人など未だ見たことはないが、空気が足りなくなれば、それを悪んで人は逃れようともがく。

なお、陽貨第十七の八にも「好仁」という表現がある。これは次のような章である。

子曰、由女聞六言六蔽矣乎、對曰、未也、居、吾語女、好仁不好學、其蔽也愚、好知不好學、其蔽也蕩、好信不好學、其蔽也賊、好直不好學、其蔽也絞、好勇不好學、其蔽也亂、好剛不好學、其蔽也狂（陽貨第十七、八）

子曰く。由《ゆう》よ、女《なんじ》六言の六蔽《へい》を聞けるか。對《こた》えて曰く、未《いま》だし。居れ、吾れ女に語《つ》げん。仁を好みて學を好まざれば、其の蔽や愚。知を好みて學を好まざれば、其の蔽や蕩《とう》。信を好みて學を好まざれば、其の蔽や賊。直を好みて學を好まざれば、其の蔽や絞。勇を好みて學を好まざれば、其の蔽や亂。剛を好みて學を好まざれば、其の蔽や狂。

この章の「好」の対象になっている「仁」「知」「信」「直」「勇」「剛」は、それぞれ基本的に、好んだり嫌ったりする対象ではない。それは態度であり状態である。この章は表面的にはこういうものを好む一方で「好学」でない者は、それぞれ「愚」「蕩」「賊」「絞」「乱」「狂」という状態になる、という戒めである。

しかし、好むことがそもそもできない「仁」「知」「信」「直」「勇」「剛」という態度を、言葉によって実体化し、好む対象としている時点で既に間違っている。私はこの章の意味は、「学」というものは、そういう対象の実体化から抜け出すために必要なのだ、ということだと解釈する。それゆえ、「愚」「蕩」「賊」「絞」「乱」「狂」というのは、そういう間違った状態を表現していることになる。「六言六蔽」という表現の「言」は、そのような言語の作用による実体化のことを、「蔽」はその悪を意味しているのである。

たとえば「好仁不好學、其蔽也愚」という句は、「仁を好む、というような実体化をしている段階で、既に愚であり、その蔽を乗り越えることが学の意義である。それによって学習の回路を作動させるなら、すなわちそれが仁である」という意味に解釈するのである。

†仁を好んでも何も起きない

さて元の議論に戻ろう。「我未見好仁者」という句を、「仁を好む者などまだ見たことがない」と読んで、「好仁」という概念に対する批判だと解釈すると、次の「好仁者無以尙之」を理解しやすくなる。「仁を好む者は、以てこれに尚うること無し」とは、自分のなかの仁たるものを好んだところで、別に自分に何かが加わるわけではない、と解釈できる。

中庸を目指す学習の回路は、正しい状態にあれば積極的には何もせず、正しい状態から外れた時に自分を作り変える。正しい状態にあることを好んだところで、別に何が起きるわけでもない。この句は、「好仁」という概念を、意味の無いものと批判している。

これに対して、自分が仁から外れている、と認識し、そこから離れようとするときには、学習回路が正しく作動している。次の句はそのことを意味する。

「悪不仁者其爲仁矣」

つまり「不仁を悪む者は、其れ仁を爲す」は、ストレートに「悪不仁」こそが仁だ、としていることになる。不仁なるものから離れ、自分のあり方を改めるということ、それこそが仁なのだ。「其」と「矣」という二つの字は、それを重ねて強調している。

これは「知」についても同じである。知っていることを知っている、と認識するだけでは、別に知識は増えない。まさに「以てこれに尙うること無し」である。しかし知っていることを知っているとし、知らないことを知らないとすれば、そこから新たな探求が始まる。これこそが「是知也」である。

そこからあとの「不仁者をしてその身に加えしめず。能く一日も其の力を仁に用いること有らんか、我未だ力の足らざる者を見ず。蓋しこれ有らん、我れ未だこれを見ざるなり」は、金谷の解釈に従えばよい。なお、仁は、やってみれば力不足ということはない、という主張は、「我仁を欲すれば、斯ち仁至る」という主張と響きあっている。
念のため、この章の私の解釈を掲げておこう。

子曰く。私は、仁を好む者など見たことがない。見たことがあるのは、不仁を悪む者だ。仁なるものを好んだところで、得るものは何もない。不仁なるものを憎むことができる。仁を為すということだ。こうすることで不仁なるものが己に加わることを防ぐことができる。一日でもその力を仁に尽し得る者があるとしよう。やってみたが力が足りなかった、という者を私は見たことがない。もしかしたらそういう者がいるかもしれないが、私はそのような者を見たことがない。

†礼と仁

礼と仁とが同じ学習の構造を持つがゆえに、両者は密接な関係を持つことになる。孔子は次のように言う。

子曰、人而不仁、如禮何。（八佾第三、三）

子曰く、人にして不仁ならば、禮を如何せん。

仁の回路が適切に作動していない人がいると、その人が他者とコミュニケーションをとろうとしても、そこに礼の回路が作動しないため、調和を作り出すことはできない。当然、そこには「和」も生じない。

以上のように、「知」「礼」「和」「仁」という論語の基礎概念が、学習のダイナミクスと密接な関係を持つことが明らかとなった。本書の冒頭に掲げたように、学而第一の一の「小論語」こそは、論語の全体を基礎づける一章なのである。

2 選択肢と分岐なき道

†罪と恥

哲学者のフィンガレットは、論語を深く考察した著作（Fingarette 1972）の第二章で、西洋文明において人間にとって本質的と考えられている「選択」という概念が論語にないことを指摘した。つまり、同等な選択肢が人間に与えられ、そのいずれかを主体的に選ぶ、という考えがない。

そのかわり人間には従うべき分岐なき「道」がある。良い選択と悪い選択という概念はなく、道に従うか、そこから外れるかしかない。悪い結果が生じるとすれば、惑って道から外れてしまったからだ、と考える。

フィンガレットは更に、孔子が罪悪感について言及していないことを見出した。罪悪感とは、自分の行ないが外的規範から外れることから生じる感情である。

フィンガレットによれば、西洋文明の基本的な秩序観の前提は、選択と責任という概念である。人間は常に選択肢に直面しており、主体的意思決定によっていずれかを選択し、それが規範から外れると罪悪感を覚える。選択を規範に合致させるのが各人の負うべき責任ということになる。自由とは、すべての選択肢が与えられているということであり、それが阻害されているなら責任は生じない。

これに対して孔子が認めるのは恥という概念である。恥とは、道に沿っていないときに覚える感情である。それは外的規範に沿うということではない。

†仁者は憂えず

フィンガレットは同書第三章で、「仁」という概念についても重要な指摘をしている。

フィンガレットは、

知者不惑、仁者不憂、勇者不懼（子罕第九、三〇）
仁者不憂、知者不惑、勇者不懼（憲問第十四、三〇）

と論語に二度出てくる三つの句に注目した。

まず明らかに「勇者は懼《おそ》れず」という言葉は、同義反復に近い。「知者は惑わず」も惑いのない状態が知であるから、同義反復となる。それゆえ、

「仁＝不憂」


という図式が、古代の人には同義反復に見えていたに違いない、とフィンガレットは主張する。すると、「憂」の意味がわかれば、その否定として「仁」が得られることになる。

フィンガレットは、「憂」という言葉が、自分の内面の状態のみを指すのではないことに注意を喚起する。確かに、「憂いがある」というときの「憂い」は、内面の苦悩とともに、その苦悩を引き起こしている外部の問題をも指す。この「憂」がないというのは、そ

れゆえ、自分と周囲が正しく構成されて、内にも外にも憂いがない状態、ということになる。これが「仁」である。

では仁者が、憂いがない状態を実現できるのはなぜであろうか。フィンガレットはこの問題に答えていない。

私は、仁者が周囲のコミュニケーションを正しく統御し、自らと共に周囲の人々の学習過程の作動を常に活性化させているからだ、と解釈する。こうして、仁が漲っているとき、人々は自分の感覚を正しく働かせて、学習回路を作動させ、スムーズなメッセージのやり取りが行われている。人々がこのような状態にあるときには「和」が生まれ、そこにおけるコミュニケーションは「礼」にかなっているに違いない。

†「共同体」概念の呪縛

さて、フィンガレットはここまで述べたような重要な示唆を与える鋭い思索を展開するが、実は同時に、大きな誤りを犯している。

それは、「共同体（community）」という概念に安易に依存する点である。そして、儀礼に共同体を作り出し統合する力を見出し、人間はこの聖なる儀礼に参加するとき「聖なる器」として尊厳を獲得しうると考える。個人の内面にやたらと重点を置く西洋文明の前提に対置すべく、孔子の思想においては個人の内面／外面という分断がないことを示した上で、自己の帰属する共同体への帰一という考えを捏造して孔子に押しつける。この結果、

正しく統治するものに対して忠実であり、その統治者に奉仕し、それゆえ人間の共同体に奉仕すること、しかもそれを心底から為すこと、これは真に自ら共同体の一員になることである。

という結論を導き出す。

この結論を導くために、フィンガレットは、「忠」の意味を「自分に忠実（true to oneself）」と訳す立場を、西洋文明や仏教の徳の観念にひきずられていると批判し、「忠誠（loyalty）」と解釈すべきだと主張する（同書第3章註8）。フィンガレットは、論語のなかに前者の解釈を指示する手がかりはない、とする。

しかし、既に言及した次の問答は、フィンガレットの主張に対する反証になろう。

子路《しろ》、君に事《つか》えんことを問う。子曰く、欺くことなかれ。而して之を犯せ。（憲問第十四、二三）

直接には「忠」に言及していないが、既に論じたように、これは忠である。論語の「忠」は「犯」や「乱」を通じて「和」を達成するものである。「忠」を true to oneself と西洋風に解釈するのは確かに間違いであるが、さりとて君主への loyalty と訳すのも間違いである。

「共同体（community）」を持ち出す議論は、フィンガレット自身の主張とも矛盾する側面がある。というのも、フィンガレットは、春秋戦国という、共同体が崩壊して、巨大な帝国に統合されていく時代の思想家として孔子を描いているからである。

個人同士のつながりのあるところに共同体（community）を想定してしまうのは、西洋文明の隠れたもう一つの思い込みに過ぎない（安冨　二〇〇九）。たとえば、

天下之無道也久矣、天將以夫子爲木鐸（八佾第三、二四）

という章の「天下」が、そのような共同体（community）でないことは言うまでもない。天が孔子に与えた木鐸としての役割は、天下を仁に帰せしめるためのものであった。それは仁者による呪縛なき秩序を目指すものであり、共同体への帰属意識の形成によって秩序

を維持しようとするものではない。フィンガレットによる論語の研究は、ここが盲点となっている。

3　ガンディーのサッティヤーグラハ

†忠・恕・知・道・勇

次に、コミュニケーションという観点から、論語の秩序観について、モーハンダース・カラムチャンド・ガンディーの思想と比較しつつ、一つの描像を示しておきたい。

人が「忠恕」の状態にあるとき、そこにたどるべき「道」が見える。この道は分岐なき一本の道である。この道がはっきりと見えないのが「惑」という状態である。この惑いがなく、道がはっきりと見えている状態が「知」である。道がはっきりと見えていれば、そこを歩けば良いのであるから、何も恐れることはない。この恐れぬ心が「勇」である。

ガンディーの次の言葉は、論語の「道」と「知」についての思想と深く共鳴している。

わたしたちの道は、目を閉じたままでも、歩いて行けるまっすぐな道です。これこそがサーティヤーグラハの美しさです。（ガンディー　一九九七、第二巻六二頁）

人々がこのまっすぐな「道」を歩むとき、社会に秩序がもたらされる、というのがガンディーの、また論語の立場である。これはまた、人が自らの本来の感覚を受け入れる、という意味でもある。

人が本来の感覚に従うときにそこに秩序が生じる、という考えは、性善説ではない。論語の思想は性善説に基づかない、と私は考える。なぜなら人間は善なるものにも悪なるものにもなりうるからである。悪なるものとは、学習回路を作動させないことである。善なるものとは、学習回路を正しく作動させていることである。人間は学習過程を作動させることも、停止することもできるので、善でも悪でもありうる。

†「悪」の伝染性

学習過程の作動を守り抜く覚悟が「仁」であり、秩序化の鍵はそこにある。

子曰、苟志於仁矣、無悪也。（里仁第四、四）

子曰く、苟《まこと》に仁に志せば、悪無きなり。

この章も読みに諸説あるところだが、私の解釈では迷うことはない。仁に志すとは、命に代えても学習過程を守ることである（衛霊公第十五の九、後述）。そうであれば、学習過程の停止たる「悪」にはなりようがない。

学習停止という「悪」は、伝染性がある。誰かがそのような「悪」の状態でコミュニケーションをとれば、その相手の学習過程が破壊される。一人が複数の人を「悪」に陥れるなら、それは鼠算的に増える。逆に、君子が学習過程を守り抜けば、それは感化という形で、他者の学習回路を駆動させる。これもまた鼠算的に増加しうる。このような不安定なダイナミクスを持つがゆえに、ちょっとした条件の違いや、各人の勇気の違いにより、社会には「悪」が蔓延したり、「仁」が満ちたりする。本当に覚醒した仁者が現れたとき、「仁」の側が一気に有利になり、天下に憂いが消えるということも、不可能ではない。

†怒りを遷さず

孔子の理想である仁によって統治された天下とは、このような状態ではなかろうか。そしてガンディーも同様の理想を次のように表現している。

理想的な非暴力国家は秩序ある無政府状態になるだろう（ガンジー　一九九七、上　二一七頁）

このように、学習停止という悪の連鎖を断つことが、社会の安定にとって大切なことである。孔子はこれを「怒りを遷さず」と表現した。これは、既に引用した、哀公との顔回をめぐる問答で、孔子の言った言葉である。

哀公《あいこう》問うらく、弟子《ていし》孰《たれ》か學を好むと爲す、と。孔子對《こた》えて曰く、顔回《がんかい》なる者有り、學を好めり。怒りを遷《うつ》さず、過ちを貳《ふた》びせず。不幸、短命にして死せり。今や則ち亡し。未だ學を好む者を聞かざるなり、と。

二番目の「怒りを遷さず」は、人にひどいことをされた場合に、それを直ちに自覚し、その当人に対して怒りを向け、他の人に向けたりはしない、という意味である。他者の「悪」によって呪縛された人は、往々にして加害者に怒りを向けないで、他の人に「悪」をしてしまう。これを決してしない、というのが、「怒りを遷さず」である。

この点について論語には、

子曰、惟仁者能好人、能悪人。（里仁第四、三）

子曰く、惟だ仁者のみ能く人を好み、能く人を悪《にく》む。

という章もある。自分の感覚を正しく捉え、誰が悪意を抱いているのか、はっきりと認識し、好むべき人を好み、悪むべき人を悪むことが、怒りを遷さないための必須条件である。

ところが、自分の感覚を捉えることのできない小人は、悪むべき人を悪むことができず、逆に自分に対してひどい扱いをする人間を恐れ、尊敬し、服従する。そして、ひどい扱いをされることで自分に生じる怒りの感情を、自分より弱い立場にある人にぶつけて精神の平衡を保つ。

†正しく人を悪む

自分にひどいことをする人間に対して、正しく憎悪することの重要性は、他の箇所にも見られる。本書第三章でも既に引用したが、孔子は次のように言う。

匿怨而友其人、左丘明恥之。丘亦恥之。（公冶長第五、二五）
怨みを匿《かく》して其の人を友とするは、左丘明《さきゅうめい》之を恥ず。丘も亦之を恥ず。

自分の怒りを正しく認識し、正しく怒りを発露することも、「君子」たるためには大切なことである。ガンディーも次のように言う。

非暴力は臆病をごまかす隠れみのではなく、勇者の最高の美徳である。……それは復讐したい気持を意識的に思慮深く自制することである。けれども、復讐はつねに、受身の優柔不断な、無力な服従にまさるものである。そして寛恕は、さらに高いものである。（ガンディー　一九九七、上　五一～五二頁）

論語には、次のような問答もある。

或曰、以徳報怨、何如。子曰、何以報徳。以直報怨、以徳報徳。（憲問第十四、三六）
或ひと曰く、徳を以て怨みに報ゆるは、何如、と。子曰く、何を以て徳に報いん。直を以て怨みに報い、徳を以て徳に報いん、と。

怨みに「徳」を以て答えるというのはどうか、という質問に対して孔子は、怨みには「直」を以て応え、「徳」には「徳」を返すのが正しい、と答えている。「以直報怨」の「直」というのは、何度も見てきたように、人間のみずみずしい感情をそのまま表すことである。このような素直な感情、すなわち「童心」を失わないことを孔子は重視する。この「童心」に従った素直な感情を以て怨に報いるべきなのである。それは怒りの表現かもしれず、あるいは更に気高い寛恕かもしれないが、復讐心を押し隠す臆病ではありえない。

ガンディーは恥辱を加えられた人々がどのように対応すべきか、という点に関して次のように主張する。

もし彼らが心に報復の気持さえ感じずにその恥辱に耐えるだけの勇気をもっていたならば、彼らは少しも傷ついてはいない。けれども、もし彼らが歯がゆさを感じながら、便宜上から復讐をひかえたのであるならば、恥辱に耐えたことが完全に彼らの側の間違いであった。(ガンディー　一九九七、上　五二頁)

私はこれがまさに「以直報怨」という態度だと考える。

顔回について孔子がいっている二番目の表現、「怒りを遷さず」はこのように考えれば、すんなりと読むことが出来る。逆に言うならば、好むべき人を好み、憎むべき人を憎み、怒りを遷さずにいるということは、一見簡単に見えて、実は君子にしかできない大変難しいことなのである。それは如何なる状況においても、学習過程を維持することでのみ実現される。

†志士仁人

この学習過程を守り抜くことが、仁を志す者の使命である。そのために必要な勇気は並大抵のものではない。孔子は次のように指摘している。

子曰、志士仁人、無求生以害仁、有殺身以成仁、（衛霊公第十五、九）

子曰く、志士《しし》仁人《じんじん》は、生を求めて以て仁を害すること無し。身を殺して以て仁を成すこと有り。

志士仁人は、どんなに脅されても学習過程を停めることはなく、学習過程を守り抜くために身を殺すことさえあるという。

この言葉はガンディーの次の言葉を思い出させる。

恐れを知らない気持なしに、サッティヤーブラヒーの車は一歩とも前へ進めません。財産、偽《いつわ》りの世間体、親類縁者、政府、負傷や死、すべてのことに恐れを知らない気持になるときにこそ、サッティヤーグラハは守れるのです。（ガーンディー　二〇〇一、一二〇頁）

ガンディーの思想の中核は、「サッティヤーグラハ」という言葉で表現される。これは非暴力的抵抗と訳されるが、その意味は、「真理にしがみつく」ということである。しかもその真理は、外的あるいは客観的なものではなく、各人の魂に宿る。ガンディーは次のように言う

恐れを知らない気持があると、真理は自然と宿るものです。なんらかの恐れのために、人は真理を放棄するのです。（ガーンディー　二〇〇一、一二二頁）

自らの魂の声にしがみつき、殺されても離れない覚悟が、サッティヤーグラハには求めら

れる。孔子の「志士仁人」は、サッティヤーグラヒー（サッティヤーグラハの実践者）と同義と言えよう。

第8章 儒家の系譜

本章ではここまで見たような、『論語』で展開された「学習」に立脚した社会秩序思想が、その後、どのように継承されていったのか、その系譜を概観したいと思う。もちろん、儒家のような巨大な思想の流れを二千年を超える時間にわたって概観することなど、そもそも不可能なことである。私がここで試みるのは、私自身がその巨大な流れのなかで出会った偉大な思想の断片を、繋ぎあわせてみることに限られる。それはちょうど、子どもが海岸で拾った美しい貝殻を、糸で繋ぎあわせて首飾りにして遊んでいるようなものに過ぎない。

1 魂の植民地化と脱植民地化

†魂の植民地化

ここで私がその「糸」として用いるのは、「魂の脱植民地化」という概念である。それゆえはじめに、「魂の植民地化」とは何かを示しておかねばならない。私の定義は以下である。

【定義1】魂の植民地化とは、自らのではなく、他人の地平を生きるようになること、である。

そうすると今度は、「地平」の意味を問われてしまう。これが定義というものの困ったところである。これを厳密に定義してみせると、その定義のなかに含まれる概念をまた定義せねばならず、どこまでいっても止まらないであろう。

ここで「地平」という言葉を持ちだしたのは、私自身の経験を反映している。私は、幼児期からの記憶の大半を、自らの視線からではなく、自らを斜め四五度から見下ろすような視線で記憶していたのである。

たとえば三歳くらいにはじめてお祭りに行ったときの映像だと思うのだが、ひとつは、逆光になっている神輿《みこし》の上で、誰かが太鼓を叩いている様子を記憶している。これは正常な記憶である。ところがもうひとつの記憶は、法被《はっぴ》のようなものを着ている私自身の様子を、上から見下ろした映像だったのである。

こういう類の映像が私の記憶の主体を構成していた。たとえば教室で友達と言い争っている自分を、教室の斜め上から見下ろしている映像、あるいは水泳選手としてプールに飛び込む自分を、プールサイドから見下ろす映像、という具合に。

こういう形の不気味な記憶映像の形成は、四十歳代に至るまで、より正確に言うなら、四十代半ばに離婚に反対した両親、特に母親との関係を断絶するまで継続した。そして、その関係の断絶後に、徐々に普通の視線での記憶を形成するようになった。更に、この文章を書いていて気づいたのであるが、かつて斜め上からの映像として保持していた幼少期の記憶は失われており、覚えているものは普通に私自身の視点からの本物の記憶だけになっていた。

この斜め上から自分自身を見下ろす視点は、まぎれもなく、私の視点ではない。これは明らかに、母親の視点である。私が「他人の地平を生きる」と言うときの「地平」とは、この視線のことをイメージしている。

†魂の脱植民地化

このように「地平」と「魂の植民地化」とを表現しておけば、「魂の脱植民地化」の定義は次のようになる。

【定義2】魂の脱植民地化とは、他人のではなく、自らの地平を生きるようになること、である。

ではどうして人間の魂は植民地化されるのであろうか。分析心理学者のウルズラ・ヴァイスは、植民地化されることが、人間にとって必要だからだ、と指摘した。つまり、たとえば我々は言語を習得せねば生きていけないが、言語というものは本来的に外在的なものである。言語を習得するということは、外部のものを取り入れるばかりではなく、外的なものに自分を植民地化されることでもある。

たとえば日本語を母語とすれば、日本語の発想が体にしみ込むのであり、それ以外の考え方をするのが難しくなる。これは一種の植民地化である。これは外国語についても同様であり、英語を身につけると、英語の発想が染みこんできてしまう。

このとき大切なことは、日本語とは違う言語を学ぶことにより、自分がとらわれていることに、初めて気づくことが可能になる、ということである。英語を学ぶという新たな植民地化を受け入れることは、日本語による植民地化を相対化する契機ともなりうる。

とはいえ、そのときに日本語を蔑視して、英語を崇めれば、深刻な植民地化である。とはいえ、英語を敵視して日本語に固執すれば、これまた植民地化を深化させてしまう。いずれの場合も事態は改善せずに悪化する。それは、双方を共に受け入れて、適宜切り替えて使うようにしても同じことである。
そうではなくて、日本語と英語とを共に相対化して、そのなかで自分に必要なものを残し、いらないものを捨てる、という形で、自らの主体性を確立することができれば、それは「脱植民地化」である。たとえば自分の母語たる日本語そのものは大切にし、またそれに伴う日本語の発想も大切にしながらも、それでは行き着けないところを自覚して、自分なりに組み換え、より自由な発想、より豊かな言語表現を獲得するのが、脱植民地化の道だということになる。ウルズラはこのような過程をaufhebenと呼んだ。それは、取り出して捨てるとか、あるいは取り出して大切にとっておく、というような意味のドイツ語である。(Weiss 2009)
以上によって貝殻の首飾りを作る準備は整った。いよいよ、貝殻探しに出かけよう。

2 孟子とアダム・スミスとの差異

†惻隠之心

孔子に続く儒家といえば、孟子である。私は『孟子』は『論語』に比べると理屈っぽくて、どこか杓子定規な感じを受けるので、「再植民地化」が進んでいるような印象を受ける。しかしそれでも、基本的な発想が失われたわけではない。それが最も良く現れているのが、以下の「人に忍びざるの心」と「惻隠《そくいん》」についての章である。私なりに訳しておきたい。

孟子曰く。人には皆、人に忍びざるの心がある。先王には人に忍びざるの心があり、それゆえそこに人に忍びざるの政があった。人に忍びざるの心をもって、人に忍びざるの政を行えば、天下を治めるのは、手のひらの上で操作するようにできる。人には皆、人に忍びざるの心があるという理由は、たとえば今、子どもが井戸に落ちそうになっているのを見たなら、ハッとして、惻惻とした隠痛を心に覚える。この心の動きは、子供の父母と関係を取り結びたいなどと思うからではない。郷党の仲間に褒められたいからではない。評判が下がるのが嫌だからでもない。そういったことではない。こういったことから考えると、惻惻とした隠痛を覚える心がないのは、人ではない。悪を羞《は》じる心がないのは、人ではない。人に譲る心のないものは、人ではない。是非を判断する心がないものは、人ではない。内面に生じる心の動きは、仁の発端である。

悪を恥じる心は、義の発端である。人に譲る心は、礼の発端である。是非を判断する心は、智の発端である。人に、この四つの発端があるのは、四肢があるのと同じである。四つの発端がありながら、自分で出来ないという者は、自らを限る者である。その君主が出来ないと言うものは、その君主を限るものである。およそ自分に四つの発端がある者は、皆、これを拡充することを知っている。火が燃え始め、泉が湧き始めるのと同じである。いやしくもこれを充たし得るなら、四海を保つに足る。これを充たし得ないなら、父母に仕えることにも足りない。

この引用からだけでも、私が、どこか杓子定規で、魂の植民地化が始まっている、と言うのがおわかりいただけると思う。「悪を羞じる心がないのは、人ではない。人に譲る心のないものは、人ではない。是非を判断する心がないものは、人ではない」とか、「いやしくもこれを充たし得るなら、四海を保つに足る。これを充たし得ないなら、父母に仕えることにも足りない」とかいう断定が、どうも鼻につくのである。孟子の饒舌には、固定化・教条化の端緒を感じてしまう。これは『論語』にも断片的に見られる傾向であるが、『孟子』になるとそれが全面化している。

✝身体の反応

しかしそれでも、ここでは重要なことが示されている。「たとえば今、子どもが井戸に落ちそうになっているのを見たなら、ハッとして、惻憫とした隠痛を心に覚える。この心の動きは、子供の父母と関係を取り結びたいなどと思うからではない。郷党の仲間に褒められたいからではない。評判が下がるのが嫌だからでもない。そういったことではない」という箇所である。

これはその通りだと私は思う。誰でも、子どもが危険に晒《さら》されているのを見たら、ハッとして、思わず手が出るものである。実際には出さないとしても、手が出そうになる。人間というものは、そういう風に体が反応する生き物である。たとえそうならない人がいるとしても、それはさまざまの心の傷によって動きが失われているからであって、もともと全くないわけではない。

この生きた人間の身体の反応に、社会秩序の根源を求めるのが、儒家の真髄だと私は考える。しかも、この身体の反応には、「是非」の判断が含まれていることに注意すべきである。そういった、倫理的価値判断が、この一瞬の身体の動きに含まれている、と孟子は考えているのである。

この動きに率直に従って行動できるのが君子である。その行動には何らの下心もなく、ただ心身の動きを受け止めて、それに従っている。これを忠恕という。

逆に、ここに列挙されているように、子どもの両親とお近づきになりたい、とか、郷党の仲間に褒められたいから、とか、評判が下がるのが嫌だから、とかゴチャゴチャ考えてしまう人間は、小人である。こういうふうにゴチャゴチャ考えていては、手を出す前に、子どもは井戸に落ちてしまう。

†AかBかの選択

この孟子の主張は、欧米の倫理の議論と比較した場合、大きな意義が見えてくる。よくある倫理学の議論のやり方は、なにか極限的な状況を想定し、AとBとの二つの選択肢が与えられており、そのどちらを選択すべきか、というような形で議論が進められる。これは、孟子の観点からすると、その設定自体が間違った、まったく意味のない議論である。

このような設問をもし孟子に示したなら、どんな問題を出してもその答えは「惻隠の心に従え」ということになろう。そういう状況に本当に立ったとしたら、そのとき、自分の心身の自発的な作動をとらまえて、それに従って動け、というのが孟子の教えである。

それゆえ、選択肢A、Bといった設定をしている段階で、既にこの問題は非倫理的かつ非論理的かつ非現実的である、ということになる。状況というものは複雑極まりないものであって、それを言語で書き下すことはできない。しかしその状況に身体が置かれていれば、身体が感じ取り、身体が判断する。その判断を素早く正確に受け取ることができるなら、それは「惻隠之心」に従ったことになる。

たとえば西欧倫理学の有名な問題で、列車が走っていて線路が二股に分かれており、片方の線路に五人、もう片方に一人が縛り付けられている場合、どちらを轢《ひ》き殺すのがより倫理的か、というわけのわからない設定がある。これに対する孟子の答えもまた、「惻隠之心」に従え、であるはずだ。自分自身の心身の動きの指し示す方をとらえて、どちらかを轢き殺せば良いのである。そうする理由なんてどうでもいい。理由を頭でゴチャゴチャ考えて「合理的に判断」するようなことをしてはならない、自分の心身に教えてもらえ、というのが孟子の教えである。

†スミスの「同感」

これはアダム・スミスの「同感」という議論と比較するとその意味がわかりやすい。スミスは、人間が利己心のほかに、「自分の感情や行為が他人の目にさらされていることを意識し、他人から是認された、あるいは他人から否認されたくないと願う」生き物である、と考える（堂目　二〇〇八、三三二頁）そしてここに、最大級の重要性を認め、人類社会の秩序の根幹を見ているのである。

そしてアダム・スミスは、次のように「魂の植民地化」こそが、倫理の根幹であるとまで言う。

われわれが、われわれ自身の利害をわれわれ自身の目で見ているかぎり、それらがこうして全体の利害の犠牲になることに、われわれがすすんで同意することはめったにありえない。それらの相対立する利害を、われわれが他の人びとの目をもって見るばあいにのみ、われわれ自身にかかわる事柄が、比較すればなんのためらいもなく放棄すべきほどに、軽蔑すべきものに見えうるのである。（スミス　二〇〇三、下巻二四六頁）

スミスがここで言っていることは、全体の利害のために自分を犠牲にすることが「倫理」であり、それは「われわれ自身の利害をわれわれ自身の目で見」るのをやめて、「われわれが他の人びとの目をもって見る」ことではじめて可能となる、ということである。これは、本章の最初で定義した、「魂の植民地化」、すなわち、「自らのではなく、他人の地平を生きる」ことに該当する。スミスは倫理を、他人の目にさらされていることへの意識によって生じるものだと考えているのである。

孟子に言わせれば、これはとんでもない話である。なぜなら、スミスの言う「同感」は、「惻隠之心」を「他人の目に対する意識」へと解消し、両者を混同するものだからである。これと対照的に孟子は、前者を君子の、後者を小人のものと峻別している。『孟子』は「盡心上五」で次のように述べる。

孟子曰。行之而不著焉。習矣而不察焉。終身由之而不知其道者。衆也。

孟子曰く。行っても理解しない。習っても察しない。終身、これに由っても、その道を知らない。こういう者は多い。

これはつまり「学習」の回路が作動していない状態である。そうなると、何を心がけて行動しようとも、何を学習としようとも、何も変化しない。それは「惻隠之心」の作動を閉ざしているからである。人間の、学習し、成長することに喜びを感ずる、という本性の作動が抑圧されているのである。

この対比を図で示しておこう。図1（207ページ）は「君子」の姿を示している。君子は、子どもが井戸に落ちるのを見て、直ちに心が動き、同時に身体が作動する。このとき、何ら頭でゴチャゴチャ考えていない。これに対して図2の「小人」は、心が直ちに作動せず、まず頭でゴチャゴチャ考えないといけない。その上で、漸く身体が動くのだが、それは君子の瞬間的な動きに匹敵し得ない。一方、アダム・スミスは図3である。スミスの「同感」は、他人に自分がどう見えるか、ばかりではなく、他人が自分の行動をどう判断するかまでシミュレートしないと、動かない、特別に具合の悪い小人である。

孟子は、生きた人間の身体において、自発的に作動する、理屈抜きの心の動きに社会の秩序の源泉を見るのに対して、スミスは周囲の目を気にする、小人の臆病に社会の秩序の源泉を見ている。両者は良く似ているようでいて、その含意は正反対である。スミスの議論は「魂の植民地化」を是とするものであり、孟子は「魂の脱植民地化」を志向している。

3 その後の儒家の系譜

このような思想は、儒家の流れの中で、失われつつも常に回復され、継承されていく。失われるというのは、儒家が漢王朝以来、国家の正統の教えとなり、特にそれが科挙の主

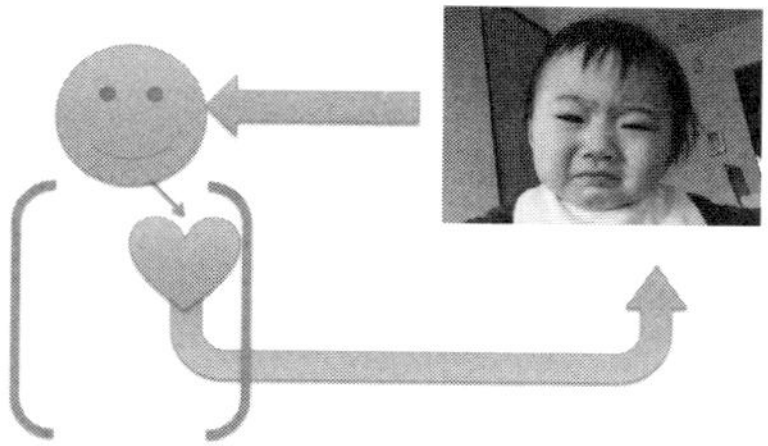

図 1

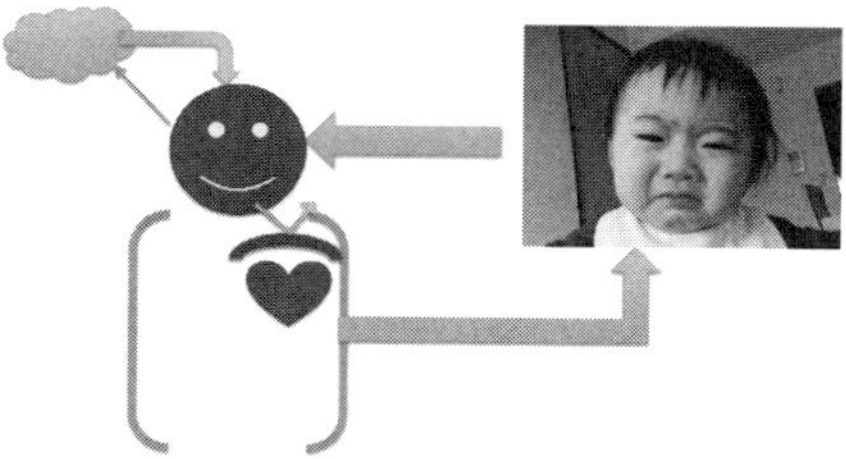

図 2

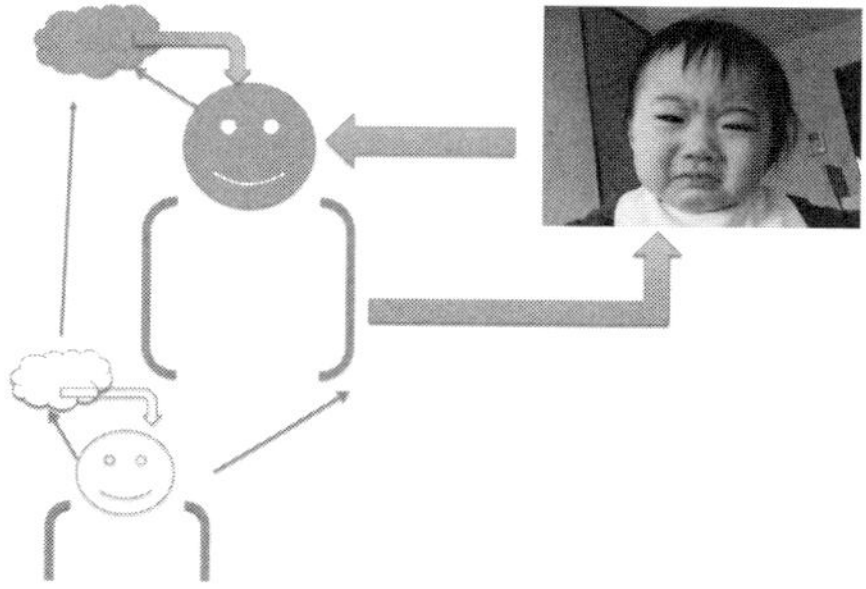

図 3

題となることで体制化されたからである。しかしそれでも、論語という力強いテキストは、人々の心を呼び覚まし続けた。

†程明道と謝上蔡

たとえば、島田虔次『朱子学と陽明学』では、宋学の形成過程について、程明道《ていめいどう》（一〇三二〜一〇八五年）の思想の本質について、その文章を引用しつつ、以下のように述べている。（島田　一九六七、四六〜四七頁）

明道は言う、

仁とは天地を体となし、万物を四肢百体（手足その他、身体の諸部分）とすることである。みずからの四肢百体を愛護しない人間があるであろうか。医書に手足の麻痺した症状を名づけて「不仁」とよんでいるのは、表現し得て妙というべきである。（『近思録』一）

なぜなら、

その場合、じぶん自身の四肢における痛痒でありながら、それを自己の痛痒として感覚しえず、自己の心に対してなんらの作用をも及ぼしえなくなってしまっている、のだからである。（『程氏遺書』四）

（中略）「不仁」とは「気が（からだを）貫いていないこと」すなわち、生の連帯が断絶していること、しかもその事態に無自覚であること、を意味する。

また、更に島田は、明道の説を継いだ謝上蔡《しゃじょうさい》（一〇五〇〜一一〇三年）の言葉を引く。（島田 一九六七、四八頁）

心とはなにか。仁にほかならぬ。仁とはなにか。活きてあるが仁、死せるが不仁、である。人のからだが麻痺して痛痒を知らぬを、不仁という。桃や杏《あんず》の種は植えるとはえる、それで桃仁、杏仁《きょうにん》という。生の意があることをあらわしているのである。ここから推していけば、仁のなんたるかが知れよう。

「仁」というのは、儒家の根本概念であるが、それは、身体が麻痺していないことを意味する。そして孟子の言うように、状況のなかで身体が鋭敏に反応することが、社会的秩序の契機なのである。その反応が豊かな人物が君子であり、それが自分の周辺を越えて、天下を広く覆っている者が仁者である。

†李卓吾

この流れはたとえば、島田（一九六七、一七一～一八二頁）の指摘するように李卓吾《りたくご》の「童心」の思想に顕れる。『焚書』巻三におさめる文学論「童心説」で李卓吾は次のように言う。（『焚書』本文は李　一九七五、九八～九九頁による）

童心なるものは、假《にせ》と断絶し、純に真なるものであり、最初一念の本心である。もしも童心を失えば、それはつまり真心を失う。真心を失えば、それはつまり、真人たるを失う。人にして、真ならざれば、その初を有するを回復することは全くありえない。童心は人の初である。童心は心の初である。心の初なるものが、はたして失われて良いものか。

李卓吾の「童心」は、人間に生まれながらに備わっている心身の作動、すなわち孟子の言う「仁之端」であると言って良かろう。

更に李卓吾は、この童心が失われる「植民地化」の過程を端的に描いてみせる。

しかるに童心は、胡然として失われる。蓋《けだ》し、始めは、聞見が耳目より入り、その内の主となる。かくて童心は、その長たる地位を失う。道理が聞見から入ってその内の主となり、かくて童心は失われる。

このように、外部のコードが侵入し、それが「内の主」となる、ということは、つまり、他人の地平を生きるようになる、ということである。その魂の植民地化状況を李卓吾は、「假」という言葉で表現する。島田はこれを「仮」という字にしているが、「仮とは借りること、似而非、虚偽、要するに本ものでない、ニセ、をいう」のである。「假」は中国語ではむしろ「偽」の意味が強い。それゆえここでは「假《にせ》」とルビを与えた。

聞見や道理を、既に自らの心としてしまったなら、その言うところのものは、皆、聞見や道理の言であって、童心の自ら出した言ではない。その言が巧みであったとしても、自分自身と何のかかわりがあろうか。まさにこれは、假人《にせのひと》が假言《にせごと》を言い、事は假《にせ》事《ごと》、文は假文《にせのぶん》ではないか。けだし、その人が既に假であれば、すなわち假ならざるところはない。かくて、假言をもって假人と言えば、すなわち假人は喜ぶ。假事をもって假人と道《い》えば、すなわち假人は喜ぶ。假文をもって假人と談ずれば、すなわち、假人は喜ぶ。假ならざるところなど、どこにもなく、それゆえ、喜ばざるところはない。満場、これ假《にせ》であり、私のような矮人が何を弁じようか。

李卓吾は自らの生きる世間を「満場これ假」と認識し、「童心」を守ろうとして激しい言葉を吐いた。そして『論語』や『孟子』をも批判の俎上に載せた。このような厳しい言論を展開したため、七十歳を越えていたというのに獄につながれて、獄死した。

『焚書』巻三、「卓吾論略」によると、彼は挙人に合格するが、家族を養うために進士を目指すことは諦め、色々な世俗的苦労を重ねた。やがて祖父の訃報に接して葬儀と服喪のために家族を残して故郷に帰り、三年をそこで過ごすことになった。そして家に戻ったときに李卓吾は、娘二人を飢餓で喪っていたことを妻から聞き、「その時はじめて下駄の歯がぽっきりと折れる思いがした」（到此方覺屐齒之折也）と述べている。（劉岸偉　一九九四、一一五〜六頁：李　一九七五、八六頁）

「屐齒之折」というのは、東晋の謝安《しゃあん》が自国の戦勝のニュースを聴いて小躍りし、下駄の歯が折れたのにも気づかなかった（不覺屐齒之折）という故事にちなんだ成語である。李卓吾は、これをひっくり返して「覺屐齒之折」（下駄の歯が折れたのに気づいた）と表現しているのである。「不覺屐齒之折」の方は、上の空で気付かなかった、という意味であるから、「覺屐齒之折」は、それまでの自分のあり方が上の空であったことに気付いた、という意味であろう。つまり、「假」のために奔走していたことに気づき、もはや「假」を支えることができなくなった、というのであろう。

彼が、投獄されるほどの厳しい言葉を「満場これ假」の世間に対して投げつけたのは、この悲しい経験によるものだと私は思う。彼の言葉が厳しいのは、「假」のために奔走して、娘二人を餓死させた己の「假」が許せないからではないかと感じる。彼の著作が『焚書』（燃やしてしまうべき書）や、『蔵書』（しまっておくべき書）というタイトルになっているのは、これらが、自分自身の假との戦いのために書かれたものだからであろう。

彼の思想は「異端」とされ後代の学者の継続的な指弾を受け、清朝の禁書目録に載せられるほどであった（島田　二〇〇三、下一〇六頁）。しかしそれは、孔孟の教えに反したがゆえではなく、むしろその本質をとり出したがゆえだったのである。

†梁漱溟

この系譜は、現代の梁漱溟《りょうそうめい》(一八九三〜一九八八年)に継承される。梁漱溟思想と魂の脱植民地化との関係については海部(二〇一〇)が明らかにしているので、詳細はそちらを参照していただきたい。「最後の儒者」とも呼ばれる梁漱溟はそれ以前の儒者とは異なり、学問的には西洋哲学から入り、仏教を経て儒学に至った、という遍歴を経験している。

梁漱溟は、一九一一年の辛亥革命に際して「革命活動」に参加し、一七年から二四年にかけては北京大学で東洋哲学の講義を受け持つ。しかしやがて大学を辞し、三〇年代には山東省で郷村建設運動に従事し、毛沢東とも相知るようになった。国共内戦では両党の間を取り持とうと奔走し、新中国成立後は毛沢東の要請で政治協商会議のメンバーとして活躍した。しかし、一九五三年の政治協商会議の場で、農民を搾取して工業化を進めようとする「社会主義過渡期の総路線」を痛烈に批判し、毛沢東に自己批判を求めたため、政治的に排除された。

梁漱溟は、それ以前の知識人とは異なって、西洋哲学によって「植民地化」を受けた。圧倒的な西洋文明の前に、東方というものは存続しうるのか、という問題が彼の出発点であった。梁漱溟を著名にした『東西文化及其哲学』という著書がそれである。

海部（二〇一〇）は、梁漱溟がその後、郷村建設運動のなかで実際の郷村の生活に触れ、そこに生きた「儒脈」を見たと指摘する。儒家の教えは書物のなかの空理空論ではなく、郷村の生活のなかに根ざした「情」「理」に基づく倫理であり、それは人間が生きようとするその力によって、社会秩序を形成する創造的戦略であることを見出したのである。

梁漱溟は「孔家思想史」のなかで「生命とは無目的な向上奮進」であると言い、さらにそこから「善」を次のように解する。

> 善とは何を謂うのか、孟子を解釈して得られる善悪はとても簡単なものです。すなわち望ましいものを善と謂い、卑しむべきものを悪と謂います。あらゆる善――愛すべき行為はどこから来るのでしょう。我々はこう言わざるを得ません。善は生命が有るに由りて生れるのだと。こうも言えるでしょう、善は生命が強く奮う時に生れるのだと。（海部　二〇一〇、二〇八頁）

「生命とは無目的な向上奮進」であり、「善は生命が強く奮う時に生れる」という梁漱溟の孟子解釈は、本稿で見た、孔子・孟子・程明道・謝上蔡・李卓吾という系譜から窺われる、儒家の教えの本質を端的に表現したものである。

梁漱溟という近代の洗礼を受けた哲学者の存在は、二千五百年という時を経て、「儒脈」が引き継がれてきたことを、明らかに示している。それは私には、人類史上の最も強く太く明らかな「魂の脱植民地化」の系譜だと見える。

4 ノーバート・ウィーナーの学習社会論

†ウィーナーと東洋思想

既に述べたように、私は、儒家の思想の根幹は、生きた人間の身体反応に依拠した、学習回路の作動に、人間社会の秩序を見る、という点にあると考えている。この考えは二〇世紀になってアメリカのユダヤ系数学者、ノーバート・ウィーナーによって、サイバネティックスという形で再発見された。

ウィーナーが東洋思想に深い関心と知識とを持っていたことは、よく知られている。晩年にはMITのヒンドゥー教宗教担当職員であったサルヴァガタナンダ師のもとに通い、輪廻の教義を聞いていたという。（コンウェイほか　二〇〇六、四六四～九頁）

本稿では彼の主著、*The Human Use of Human Being*（『人間の人間的活用』、以下、『人間論』と略称する）の初版本を中心として議論を進める。同書は第二版で大幅に改定されるのであるが、それによって元来の意味が大きく歪められ、隠蔽されているように思われるからである。おそらくそれは、ウィーナーが非米活動委員会から謂れなき圧迫を受けたことと関係しているように私は感じる。

その初版本の冒頭付近に次のような言葉が出てくる。

> 教会は、人間には魂があるが犬にはない、と確言するが、仏教として知られる同様に権威ある教団は異なった見解を保持している。（Wiener 1950, p. 6）

そのあとの議論は、人間と他の動物との違いは、魂の有無ではなく、言語を通じたコミュニケーションの有無にある、と続き、そのコミュニケーションのあり方が、社会のあり方を決定的に規定する、と指摘する。

†サイバネティックス

では、ウィーナーの言うサイバネティックスとは何か。おあつらえむきに『人間論』の

第一章のタイトルが「サイバネティックスとは何か」であるから、ここからその定義を引用しよう。サイバネティックスとは、

「メッセージ、特に、制御に有効なメッセージの研究」(Wiener 1950, p. 8)

のことである。

ウィーナーの表現は、実につっけんどんであり、この定義を聞いて感激し、サイバネティックスの研究を志す若い学生がいるとは到底思えない。世間に流布している「サイバネティックス」のイメージは、このつっけんどんな定義に端を発するように感じる。また、私が『複雑さを生きる』を書いたときに、彼の思想の重要性を認識できなかったのも、この定義のせいでもある。

しかし早とちりをしてはいけない。この「メッセージ」という言葉は、非常に広い概念だからである。さきほどの定義の少しあとにウィーナーは、メッセージの役割を示すために、オルゴールの上で踊る小さな人形の活動と小猫の活動とを比較する。

オルゴールの上の人形は確かに踊ってみせるが、それは、あらかじめ定められたパターンに従っており、その人形の過去の作動パターンと未来の作動パターンとの間には何の関

係もない。ここには、人形の作動を規定するメッセージが一つ含まれているが、それはオルゴールの機械仕掛けから人形へと一方向に伝わるだけである。また、人形自身は、外界となんらの通信も行わない。

こういう人形は目が見えず、耳が聞こえず、口が利けないのであり、その作動を、予め定められたパターンから、わずかでも変更することはできない。（Wiener 1950, p. 9）

これに対して小猫の活動はメッセージが一方向に流れるのではない。ウィーナーが小猫を呼び、小猫がウィーナーを見上げ、空腹で悲しそうな鳴声を出したとする。このとき、ウィーナーは小猫にメッセージを送り、それを小猫が自分の感覚器で受け取り、そのことを動作であらわし、更にウィーナーにメッセージを返したのである。

小猫が吊るしてある糸巻きを打つとする。糸巻きが左に揺れて小猫がそれを左の前足でつかむ。このとき小猫は自分自身の前足の運動を、自分の筋肉の運動を知覚する器官からメッセージとして受け取り、それによって身体の各組織の実際の位置や緊張状態を受け取る。そして視覚から入ってくる糸巻きの状態についてのメッセージと総合し、全身の筋肉にメッセージを発して左の前足でつかむ。その状態もまたメッセージとして送信される。

オルゴール人形と小猫の最大の違いは、前者が一方向のメッセージの流れしか持っていないのに対して、後者のメッセージの流れが常に循環していることである。

但し、メッセージの循環は生物に限られるものではない。サーモスタット付きの冷房装置の場合でも、メッセージは循環する。モーターの状態がメッセージとして送られ、同時に部屋の温度計から現在の温度が送られてきて、それらを総合してモーターの稼動状態を変更するためのメッセージが送られる。それがモーターの状態と部屋の温度の変化に反映し、再度メッセージが送られてくる。

†フィードバックと学習

このように「機械を、その所期の振舞（expected performance）ではなく、実際の振舞（actual performance）に基づいて制御すること」を「フィードバック feedback」と呼ぶ。(Wiener 1950, p. 12)

ここで注意すべきは、外界からメッセージが、そのままの形で取り込まれるのではなく、感覚受容器がその内部の変換機構を通じ、後の段階の作動に利用できるような新しい形に変換するという点である。たとえば、耳から入ってきた音は、音のままで脳に伝えられるのではなく、神経のパルス列に変換して伝えられる。また、その取り入れられたメッセージには、単にその主体（生き物であれ機械であれ）が、やろうとした動作ではなく、外界に対して実際に行われた動作についての情報が込められている、という点が重要である。

ウィーナーはフィードバックという概念をまとめて次のように説明する。

フィードバックの原理とは、振舞がその結果に基づいて観察され、その結果の成功・失敗に従って、将来の振舞が変更されること、を意味する。（Wiener 1950, p. 69）

さて、このフィードバックでは、自分の行動の結果から、未来の行動を修正するが、その修正の仕方がどうなっているかについての言及がないことに注意すべきである。この場合、修正には二種類がありうる。第一のケースは修正の仕方が固定されている場合であり、第二のケースは、修正の仕方そのものが可変的である場合である。

第一のケースを別の言葉で言えば、修正の仕方そのものはあるメッセージで記述されていて、それはあらかじめ与えられており、変更できない、ということである。つまり、フィードバックは回路を成しているが、そのフィードバックの回路そのものの記述というレベルで見るならば、上から命令が降ってきてそのまま出て行く、一方通行の構造になっている。

そこで、このレベルにもフィードバックを入れることができれば、その振舞はより柔軟になる。ウィーナーはこれを「学習 learning」と呼ぶ。

学習とは、最も込み入った形態のフィードバックであり、個々の行為ばかりではなく、行為のパターンに影響を与える。それはまた、行動が環境の要求のなすがままにならないようにする方式である。(Wiener 1950, p. 69)

すなわち、このレベルにまでメッセージの回路が形成され、フィードバックが掛かっている状態を「学習」というのである。

ここで注意すべきは、ウィーナーが学習を、「最も込み入った形態のフィードバック(a most complicated form of feedback)」と定義していて、「より(more)込み入った形態のフィードバック」としていない点である。この一見些細なことは、重大な論理的枠組みの差異を反映している。なぜならこの用語法は、ウィーナーがフィードバックと学習との二階層しか考えていないことを明らかに示しているからである。

†重層的学習の否定

この点は、たとえば、サイバネティックスの重要な論者であるグレゴリー・ベイトソンの学習理論と比較すれば意味がハッキリする。ベイトソンは、ウィーナーと異なって、学習の学習、あるいは学習の学習の学習、という形で、重層的な学習のフィードバックを認めている。

すなわち、仕事の修正の仕方を修正するのが第一次の学習とすれば、その学習のやり方についてのメッセージを修正することができる。これを二次学習とする。この二次学習の仕方についてのメッセージを修正するのが三次学習であり、これは理論的にはいくらでも階層化することができる。ベイトソンは、学習の階層を駆け上がる「ロジカル・ジャンプ」を重視した。(Bateson 1972, pp. 279-308)

一方、既に述べたように、ウィーナー自身はこの学習の階層性を認めておらず、それゆえこの階層性を駆け上がる「ロジカル・ジャンプ」も認めていない。私はかつて、これがウィーナーの重大な欠点であると見ていた。

しかし、現在ではその考えを改めた。学習を単なる複数階層のフィードバックとは見なさないで、「「意味」を含んだフィードバック」と考えるほうが、合理的だと判断している。このように見れば、様々の「意味」はありえても、そこに「階層」を見る必然性がないからである。むしろ、階層を考えることは、世界を徒に複雑に見せて有害である。それ以上に、学習の学習の学習の……と無限後退を引き起こしてしまう。

また、階層を無視することで、得られる利点は大きい。というのも、ここ二十年くらいの複雑系科学の歴史を振り返ると、「階層」を駆け上がる機構の解明に振り回されすぎて、結局のところその難問の前に立ち往生してしまったように思われるからである。この問題設定は、もっと理解しやすくかつ重要な問題から、我々の意識を遠ざけていたように思われる。特にフィードバックと学習の持つ人間的・社会的な意味を、より深く考えることが必要であった。

つまり、ウィーナーのように、フィードバックと学習との二階層だけを認めて、それを、

「意味」を含まないフィードバック
「意味」を含むフィードバック（＝学習）

あるいは、

自己の適応回路を固定したフィードバック
自己の適応回路そのものに手をつけるフィードバック（＝学習）

というように質的な差異として考えたほうが良い。そして、後者の本質を探し求めるのではなく、後者の作動をおかしくしたり、破壊したりするものを研究すべきである。

†学習に依拠する社会秩序

この点についてもウィーナーは重要な一歩を踏み出していた。彼はこのようなフィードバックと学習の質的差異という観点から、人間社会の特徴を、蟻《あり》の社会と比較する（『人間論』第三章）。そして両者の違いを、行動遂行のための機構が、事前に与えられているか、学習によって構成されるか、に求めている。

蟻は幼虫から成虫になる時点で、変態を経て、身体の構造自体を根本的に再構成する。ウィーナーによれば、この身体構造の大変動を跨いで記憶を保持することは極めて困難であり、しかも成虫段階では体の外壁が表皮細胞から分泌されるキチン質で囲まれており、柔軟性を欠いている。更に神経細胞を大量に保持することも身体のつくりの制約から、不可能である。

これらのことから身体の構造上、蟻には多くのことを習い覚える機会のないことがわかる。

昆虫は、計算機にたとえると、命令があらかじめ「テープ」に書きこまれており、その命令を変更する機会が非常に限られている機器に類似している。……言い換えれば、昆虫の成長はその身体のまとう拘束衣に制約されており、それがそのまま、行動パターンを制約する精神的な拘束衣ともなっている。（Wiener 1950, p. 67）

蟻の社会は、生まれながらに決定されているメッセージに従って、規則正しく行動する主体によって構成された、秩序正しい組織である。

人間は、蟻と同じく社会的生物であるとはいえ、その本質は対照的である。人間の身体の特徴は、その発育不全にある。哺乳類は一般に長期の幼年時代を親の庇護のもとに過ごすが、人間の赤ん坊は自分では全く何も出来ない完全な未熟状態で生まれてくる。一人前の身体構造を獲得するだけで十数年を必要とし、社会的に必要な知識と経験とを獲得するには、更にそれ以上の年月を必要とする。たとえ心身ともに一人前となったとしてもそれが終着点ではなく、生きていく過程のなかで、常に学習過程を作動させており、死ぬまで学習しつづけている。

それゆえ、

蟻の社会が遺伝的パターンに基礎を置いているのと同じ意味で、人間社会は、学習に基礎を置いていると考えるのが、まったく自然である。（Wiener 1950, p. 69）

と言うことができる。つまり、ウィーナーは、孔子をはじめとする儒家の思想家と共に、学習こそが、人間社会の秩序の基盤だ、と主張しているのである。

†学習を阻害する社会

ここからウィーナーは、ファシズムをはじめとする人間の学習を阻害する社会を、次のように批判する。

蟻のモデルを基礎とした人間のありさまを理想とするファシストの熱望は、蟻の本質と人間の本質とに対する深刻な誤解に起因する。……人間という素材を使ってファシスト流の蟻社会を組織することは、私が示すように、まさしく人間の本質を貶めるものであり、経済的に見て、人の持つ人間的価値の最低最悪の浪費である。（Wiener 1950, pp. 60–61）

ウィーナーはここから社会観についての議論を展開する。

この点で我々の見解は、多くのファシスト・実業界の大立者・政府の保持する理想の社会像と異なっている。同様の権力への野望を抱く者は研究教育機関においても、まったくいないわけではない。そういった人々は、全ての命令が上から降りて行って、決して帰ってこないような組織を好む。(Wiener 1950, pp. 15-16)

このような組織に取り込まれた人間は、たとえ人間の形をしていても、オルゴール人形と同じであり、「高度な神経系をもつ有機体の作動体と同レベルにまで引き下げられてしまう」。

ウィーナーは、『人間論』を書いた理由を、「私は本書をこの人間の非人間的な利用への抗議のために捧げたい」と説明する。人間を鎖につないで、単なる動力源として使役することが人間に対する冒瀆であるのと同じように、工場にしばりつけて全く反復的な作業に従事させるのも冒瀆である。ウィーナーの尻馬に乗って更に言うなら、たとえ小綺麗な事務室をあてがっていても、定型的な伝票の操作に人間を使うのも冒瀆である。たとえクーラーの効いた大教室を用意したとしても、数百人の学生を詰め込んで、一時間半にわたってじっと座らせておき、教授が一方的に教科書に書いてある話をしてノートをとらせるのも冒瀆である。どんなに相手を尊重するフリをしても、メッセージの流れが一方向ならば、オルゴール人形扱いしていることに変わりはない。

また、学習を人間社会の本質と見る立場からウィーナーは現実の人間社会のあり方を次のように批判する。

> 天下りで押し付けられる包括的な既定の計画に従って、何もかもがごちゃごちゃに集められる、という昨今の傾向によって、人間のまさしくこの可変性とコミュニケーションの健全性とが、冒瀆され、無力化されている。(Wiener 1950, p. 217)

†「生きている」ということ

またウィーナーは、「生きている」ということについての次のような気高い定義を与えている。

> 生きているということは、外界からの影響と外界への行為との、絶え間ない流れに参

加する、ということであり、我々は、その流れのなかの変遷の舞台であるに過ぎない。生きているということの、世界に生起する出来事に対する字面を越えた意味は、知識の絶え間ない発展と、その妨げられることない交換とに参加する、ということを含意する。(Wiener 1950, p. 135)

この言葉には、多少の説明が必要であろう。

我々という存在は、絶え間なく外界から影響(influences from the outer world)を受け、それを絶え間なく外界への行為(acts on the outer world)として返すことで「生きている」。ウィーナーは、影響が行為へと変遷する舞台(the transitional stage)として我々という存在を捉えている。この影響と行為とが、世界に生起する出来事(what is happening in the world)であり、「生きる」ということのもつ字面を越えた意味とは、この出来事の変遷の舞台である、ということに他ならない。そして更に、この影響が行為へと変遷するということが、情報を生み出すということ、であり、それはすなわち「知るということ(knowledge)」に他ならない。そしてまた、ある者が生きる、ということは、他の者へ働きかける、ということ、すなわち他の者に影響を与える、ということである。それはまた他の者における影響から行為への変遷を惹起するがゆえに、それはまた新たな「知ること」を引き起こす。この相互行為・相互影響こそがコミュニケーションであり、すなわち知識の妨げられることない交換（unhampered exchange）である。

さらにウィーナーは人間の「感情」について、「主観的には、感情（emotion）として記録されるたぐいの現象は、神経の作動の単なる役に立たない随伴現象なのではなく、学習のような過程における、何らかの必須の段階を制御するものかもしれない」という予想を述べている。この予想はその後、たとえばジョセフ・ルドゥーなどの研究によって確認されつつある。（ルドゥー 二〇〇三）

最初に与えたサイバネティックスの一見したところつっけんどんな定義から、このような人間の心と感情と自由とを重視する主張が導き出されるところが、ウィーナーの思想の最も重要な点である。

†儒家とサイバネティックスとの相同性

以上の議論から、ウィーナーのサイバネティックスが、『論語』に始まる儒家の思想と、強い相同性を持っていることは明らかであろう。その根幹は、人間の身体の作動に基づいた、学習の過程に、社会の秩序の基盤を見出す、という点にある。

実は、両者の相同性はそればかりではない。既に明らかにしたように、『論語』の論理構造には、サイバネティックな側面がある。

子曰、過而不改、是謂過矣。（衛霊公第十五、三〇）

子曰く、過ちて改めず、是を過ちと謂う

この章の意味は、「過ちを犯して、改めないのを、過ちという」ということである。これは、フィードバック思想そのものである。サイバネティックスの用語を使って言うなら、個々の行為が正しいか間違っているかは大きな問題ではなく、間違っていた場合に、それを改めるフィードバック機構が作動しているかどうかが大きな問題だ、ということになる。

しかも、この章の言葉の使い方そのものが、

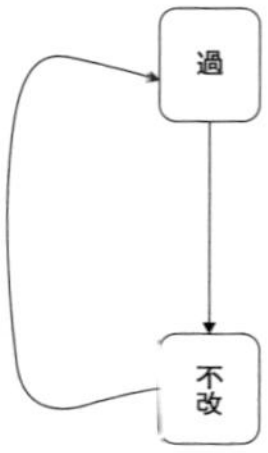

という回帰的構造になっているのである。本書で繰り返し述べたこの論語独特の論理構造は、たとえば「知」について描くと、次のように表現できる。

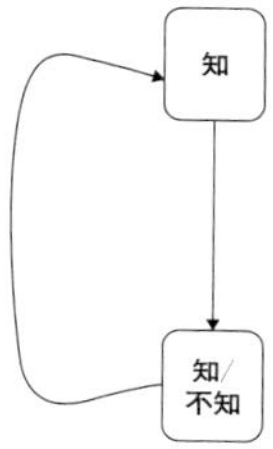

これはサイバネティックスそのものであり、両者の関係は、単に表面的な言葉の上のことではないのである。

†孔子のウィーナーへの影響

では、この両者の相同性は、単なる偶然なのであろうか。私は、二重の意味で、偶然ではない、と考える。第一に、ウィーナーは、サイバネティックスの思想に到達する以前の一九三五～一九三六年に、日本を通って中国に行き、北京の清華大学に長期滞在しているのである。この中国滞在が、彼の思想に大きな影響を与えたと考えられるからである。

この段階では、彼がフィードバックの概念を十分に詰めていなかったことは、清華大学での研究の失敗について触れたウィーナーの自伝の次の文章から明らかである。

われわれの研究で欠けていたのは、出力の一部を新しい入力として過程の始点にフィードバックする装置を設計する諸問題に対する十分な理解であった。我々が知るべきであったこういう種類の装置は、現在フィードバック機構という名で知られている。……私がすべきであったのは、この問題に最初から取り組み、フィードバック機構の十分に包括的な理論をみずから展開することであった。ところが当時はそうせず、失敗はその結果であった。(Wiener 1956, p. 190)

つまり、サイバネティックスの核であるフィードバック機構という概念に到達するための重要な失敗を、ウィーナーは中国で経験したのである。

しかも彼は文化的人種的偏見を徹底的に嫌う人物であったため、中国語を熱心に学び、中国の文化・生活・慣習にも深い関心を払っていた。彼は自伝のなかで、中国人の共通の特長について次のように書いている。

ほとんどすべての人に共通していたことは、人間性の特定の側面にではなく、世界全体に対する愛情をもっているということだった。これは仏教に特徴的なことである。これに劣らず中国の特徴を示すものは、道教の伝統のかなり古風な趣のある無形の体系に附随した、軽やかな快楽主義的なものの考えかたである。

　私の知り合いになったすべての立派な中国人は孔子の伝統を受け継いでいた。そしてキリスト教徒となっても相変わらず孔子の徒であった。というのは中国人は諸説融合という宗教的伝統をもっており、彼らにとっては一つの宗教を受け入れることは他の宗教をこばむことを意味しないのだ。宗教的伝統を何によらず尊重するすべての中国人の背後には、紳士兼学者兼政治家という孔子的概念、つまりユーモアの感覚で鍛えられ、共同体の福祉を自らの目標とし、威厳ある学問を手段としている、いわば厳粛簡素で礼儀正しい人物という概念がひそんでいる。

　悪に到る道は幾つもある。しかしまた良き生活が湧きいづる源も沢山あるのだ。孔子的人格というものは良き生活の非常に興味深くて魅力ある源であり、感受性のある聡明な宣教師なら、ほとんどみな中国から帰る時にはもう孔子の見解を深く理解し、それを自らのものとせずにはいられない。中国は中国を改宗させようとする者を改宗させる。（Wiener 1956, p. 197）

唐突に「感受性のある聡明な宣教師」が出てくるが、これは新しい数理科学の布教に来たウィーナー自身のことであろう。そしてこれほどまでに「孔子の見解」に深い理解を示して共感し、中国によって改宗させられたウィーナーが、儒家思想から何等の影響も受けなかった、ということは、あり得ない。

少なくとも「孔子の徒」の友人から「過ちて改めず、是を過ちと謂う」という言葉を、あるいはそれに基づく倫理観を、聞いた可能性は高いと私は判断する。もしかすると彼の蔵書のなかには『論語』が入っており、衛霊公の三〇章に〝✓〟が入っているかもしれない。

私は、一方向の情報の流れが当然だ、という思い込みと、一つ一つの行為が神によって不可逆的に記録されて審査される、という思想とは、本質的な結びつきがあると考える。それゆえ、その呪縛から抜けだそうとして必死で考え抜いている者にとって、「過ちて改めず、是を過ちと謂う」という寛容に満ちた言葉は、衝撃的な影響があるに違いない。

それはフィンガレットが論語の研究を通じて受けた衝撃と同質である。既に見たようにフィンガレットは、「道」という概念が西欧文化のなかでは必ず「分岐」を伴っており、その分岐点において正しい道を選択するかどうか、という形で倫理を考えてしまう、という。その分岐点において間違った道を進んだ場合には「罪」が生じる。

これに対して、論語の「道」は分岐しておらず、誤りはそこから外れることとして構成される、とフィンガレットは指摘した。このとき、自分が道から外れているかどうかを常にモニタリングすることが「知」であり、外れているという意識が「恥」であり、つまるところそれは、フィードバックのことなのである。フィードバックが作動せずに道から外れることがすなわち「惑」である。

ウィーナーが、サイバネティックスへと到る決定的な失敗を中国で犯し、同時に孔子の教えに染まったのであれば、その両者の結びつきが彼自身に意識されていないのであればなおさら、儒教思想が、彼が突破口を開く上で大きな影響があったと見たほうが合理的であろう。人は、意識的に影響を受けた場合よりも、無意識に受けた場合の方が、より強く反応するものだからである。

論語とサイバネティックスとの相同性が偶然ではない、と考える第二の理由は、このような循環的発想が、人類普遍的なものだからである。これは単に発想の問題ではなく、生きるということの本質がそのようにできている、という意味で、普遍的である。ウィーナーが見出したように、生命は必然的にサイバネティックであり、それを虚心坦懐に観察するものは、その循環性に必ずや気づくはずである。

それゆえ、ひとたび、一方向の情報の流れ、という呪縛から抜け出すなら人は、必然的に循環的発想に立ち戻ることになる。実際それぞれ独立に、このような発想は、最初に述べたように、人類史上に繰り返し現れている。それゆえ、孔子とウィーナーとが、二千数百年の時を経て、人間の存在構造に深刻な思索を加えたとき、同じ方向に進んだとしても、何ら不思議はない。

5 ピーター・ドラッカーの経営学

†マネジメントとフィードバック

ウィーナーのフィードバックと学習という概念を、人間社会の運営に全面的に生かしたのが、経営学の創始者ピーター・ドラッカーである。ドラッカーはその主著、*Management* のなかで次のように言っている。(Drucker 1993)

仕事は、誰かが何らかの想定された業務をする、ということだけを含意するのではない。それは信頼性を、納期を、そして最終的には結果の測定、すなわち、その仕事の結果と立案過程そのものの結果からのフィードバックを含意する。(p. 128)

仕事は、まさしくそれが個々の操作ではなく、一つの過程であるがゆえに、組み込まれた制御を必要とする。それはフィードバック機構を必要とする。その機構は、予期されない逸脱と共に、過程そのものを変更する必要を感知することで、その過程を望ましい結果を生み出す水準に維持する。(p. 183)

フィードバックが、意思決定に必ず組み込まれていなければならない。それによってはじめて、意思決定の基礎となった期待の継続的検証が、実際の出来事に対してなされることになる。どんなに最高の意思決定であっても、思わぬ障害や予期せぬ妨害、あらゆる種類の想定外の事態に直面するのが普通である。最も有効な意思決定でさえ、最終的には桎梏になり果てる。意思決定の結果からのフィードバックなしには、望ましい結果が生み出されることはまずあり得ない。(p. 480)

ドラッカー経営学のもっとも重要な発見は、組織はフィードバックと学習なしには決して作動しない、ということであった。

†マーケティングとイノベーション

ドラッカーは、事業というものは二つの要素から成り立っているという。ひとつはマーケティングであり、もうひとつはイノベーションである。(p. 64-5)

マーケティングというのは、販売ではない。それればかりか「販売とマーケティングとは対義語である」という。"Only marketing and no selling"(マーケティングだけで、販売はなし)がドラッカーの理想とする状態である。

マーケティングというのは、社会のなかで自分たちが何を必要とされているか、を知ることである。それを理解するための唯一の方法は、自分がやっていることをよく見て、その結果がどうなったかをよく見ることである。

マーケティングは「市場調査」ではない。「市場」というものが企業の外部に確固として存在し、その状況を天気でも眺めるように調査する、という発想がそもそも間違っている。企業の環境はコミュニケーションでできている。コミュニケーションの内容を知るには、コミュニケーションするしかない。それを通じて自分に求められていることを理解するのがマーケティングである。それには、自らの活動の影響の注意深い観察と、内外からの声に耳を澄ます誠実な態度とが不可欠である。最も重要なマーケティングの資源は、トラブルである。トラブルとは組織が社会の要請にうまく対応できていない、ということを意味する。トラブルに正面から向き合うことが、イノベーションの鍵を与えてくれる。それゆえトラブルを隠蔽する組織に将来はない。

イノベーションとは、なにか新しい製品を生み出すことではない。「新結合」ですらない。「イノベーションとは、人的物的資源に、新しくより大きな富を生み出す能力を授けることである（p. 67）」。どうやってそのような魔法を実現するのかというと、結局のところそれは、マーケティングによって得られた知識に従って、自らを変革することではじめて可能になる。

自分のあり方を変えることがイノベーションの本質である。自分の売る商品を変えるなら商品開発であり、生産方法を変えるなら技術革新であり、売り方を変えるならビジネスモデルの開発になる。それらは、自己変革の諸側面に過ぎない。マーケティングとイノベーションとを遂行し、組織が質的な成長を遂げることが、マネジメントの本質である。

自らの行いを良く見て、自らのあり方を変える、ということが「マーケティング＋イノベーション」の意味である。これはつまり「学習」を意味する。それゆえ、この両者がうまく作動している状態は、「仁」だ、ということになる。成功したマネジメントはすなわち「仁」なのである。

君子によるマネジメント

「仁」を実現できるのは、言うまでもなく組織ではない。制度でもなければ、仕組みでもない。そのようなものは仁たりえない。仁たりうるのは人間、それも君子だけである。それゆえ組織は君子によってしかマネジメントし得ない。

ドラッカーが組織の機構や仕組みではなく、manager（経営者）のあり方を重視するのはそのためである。マネジメントは仕組みによってではなく、人によってしか実現できないからである。その主著の前書でドラッカーは次のように言っている。

マネジメントは任務（tasks）である。マネジメントは統制（discipline）である。しかしマネジメントは人でもある。全てのマネジメントの達成は、経営者の達成である。その全ての失敗は、経営者の失敗である。経営するのは人であって、「力」とか「事実」とかではない。経営者の洞察力、献身、誠実が、マネジメントかミスマネジメントかを決定する。……マネジメントは常に、組織——つまり、人間関係の網の目（a web of human relations）——のなかで行われなければならない。経営者は、それゆえ、常に模範となる。その行い（what he dose）は大切である。しかし同様に大切なことは、その人となり（who he is）である……。

ドラッカーがここで強調していることは、現代の組織は、経営者がその人格を掛けて誠実に運営することで始めて動く、ということである。そこで求められる資質とは、勇気であり、忠誠であり、誠実であり、洞察であり、献身である。その活動は、孤独によってでは実現しえず、「人之徒《ともがら》」のなかでしか行い得ない。

経営者が、自らを改めることに躊躇せず、学習回路を作動させることによってのみ、組織は作動する。それこそがマーケティングとイノベーションとの実現を可能にするからである。

このような「経営者」はつまるところ「君子」である。経営者が「人の徒」の只中で、「仁」「忠」「恕」「道」「義」「和」「礼」を実現すべく、自らを開き、成長することではじめて、「民」は手足を措くところが得られるのであり、そうしてはじめて組織は作動する。これには「勇」が必要であり、「直」が必要であり、「犯」が必要であり、そこから生じる意見の対立による「乱」を通じた「和」の実現が不可欠である。

†利益の意味

ドラッカーは利益について次のように述べる。

ビジネスは、利益という用語では定義することも説明することもできない。典型的なビジネスマンは、ビジネスとは何かと聞かれたら、「利益を生み出す組織」と答えそうである。典型的な経済学者も同じ答えをするであろう。この答えは間違っているばかりではなく、意味がない。(p. 59)

利益性は、企業や経済活動の目的ではなく、制約要因である。利益は、ビジネスの行動や決定の説明や原因や原理ではなく、その正しさの試金石である。……如何なるビジネスであれ、最初の試金石は利益の最大化ではなく、経済活動のリスクをカバーし、損失を避けるに十分な利益を挙げられるかどうかである。(p. 60)

利益は、その過程自身の作動の結果に基づいた自律的制御の見事な一例である。それは技術者が言うところの、如何なるオートメーション・システムも依拠している、フ

ィードバックのことである。(pp. 69-70)

利益は目標ではない。利益は、個々のビジネスの戦略や要求やリスクに応じて、客観的に決定されている、満たさねばならない要件である。(p. 100)

つまりドラッカーは、利益はビジネスの目的たり得ない、と言っている。利益というものはフィードバックの重要な指標として大きな役割を果たすものの、あくまでも制約条件に過ぎない。利益の出ないビジネスは、やろうと思ってもできないのである。それでも利益は、何をすべきかを教えてはくれない。

ではビジネスの目的は、どうやって決めれば良いのであろうか。それはビジネスに携わる人々が自分で決める以外にない。ドラッカーはビジネスの目的を次のように定義する。

ビジネスとは何かを知るには、その目的から始めねばならない。その目的はビジネスそれ自身の外部に存在せねばならない。実のところ、企業は社会の機関であるのだから、それは社会の中にあるに違いない。ビジネスの目的の唯一の正しい定義は、すなわち、「顧客の創造」、これである。(p. 61)

ビジネスの目的は顧客の創造である、という。では顧客とは誰なのであろうか。顧客とは、結局のところ、自分を必要としてくれる人のことである。マーケティングとは、何が必要とされているかを知ることであり、イノベーションとは、自らを改めて、人に（ということは社会に）必要とされるようになることである。

このドラッカーの主張を念頭に置くと、論語の以下の章が響いてくる。

子罕言利、與命、與仁。（子罕第九、一）

子、罕《まれ》に利を言う、命と仁と。

「先生は稀に利について話されたが、そのときには命と仁と共に話された」という意味である。これは荻生徂徠の解釈による。「命」は「我々は何をすべきか」であり、「仁」はフィードバックと学習とが作動していることである。そうするとこれは、まさに今述べたドラッカーの利益に関する議論と、同じことを言っていることになる。

孔子が利について語る場合には、必ず、命と仁と共に語った、というのであるから、この章は、孔子が「利」の側面も決して軽視してはいなかったことを意味する。何らかのものごとについて語る場合には、まず「命・仁」の側面を見て、為すべきか否かを考え、次にそれが実行可能かどうかという「利」の側面を論じたのである。

これと同方向の章として、次のものがある。

子曰、君子喩於義、小人喩於利（里仁第四、一六）
子曰く、君子は義に喩《さと》り、小人は利に喩る。

『字統』によれば「喩」という字は、既に見た「兪」に発している。この場合は「口」で何かを移すのである。そこから「たとえる、つげる、さとす、さとる」という意味が出たという。白川も、論語のこの章を挙げて「さとる」という意味が生じた、と言っている。しかし、この章を「さとる」と読む必然性があるのだろうか。ここに挙げられた意味のうち、「たとえる」はわかりやすい。比喩というものは、何かを何かに移し替えることで成立するからである。「つげる」というのは、情報を誰かから誰かに移すと考えればわかる。「さとす」も、教訓となるようなことを誰かに移すわけである。一方「さとる」は、なぜそういう意味が派生するのかよくわからない。

原義に戻って考えるなら、何を何に移すのかを考えるべきである。ものごとを行うかどうかを考える場合、「それをすることにどういう意味があるか」という「義」の側面と、「それをすることで何が得られるか」という「利」の側面とがある。いずれも重要であり、意味があっても何も得られない行為は、一度や二度なら可能だが、長く続けることはできない。意味のない行為はたとえ利があっても、やる意味がない。

ドラッカーの言うように、「利」は制約条件に過ぎず、何をなすべきかを教えてくれない。ものごとは、あくまでも「意義」の側面を中心に考えるべきである。それゆえ君子は、ものごとをまずは「義」の側面に移して考える。ところが小人は、まずは「利」の側面に移して考えてしまう、というのである。

次の句もまた同じ方向を示している。

見利思義、見危授命（憲問第十四、一三）

これを普通は、

利を見ては義を思い、危を見ては命を授け

というように読み下す。そして、「利益を前にしても道義を優先させ、危機のときには生命を捧げ、」というように解釈する（加地　二〇〇四）。

しかし私には、こんなやせ我慢を孔子が要求しているとは、思えない。利益と道義とが相反する、という考えは必ずしも正しくはない。この点についてドラッカーは、利益への憎悪を批判して、次のように言っている。

利益と、企業の社会的貢献を行う能力とは、もともと相反している、という広く行き渡った信念に大きな責任がある。実際、企業は、高い利益性を持つときにのみ、社会的貢献を成しうるのである。(p. 60)

そしてドラッカーは、倒産した会社が、社会にとって有益でないことは明らかだ、と指摘する。利益が出ない事業は、それがどれほど道義的であっても、継続することはできない。それは、人類普遍の原理である。それゆえ、「見利思義」を「利を見て、義を思い」と並列に理解した方が、理にかなっているし、そのほうが文字の解釈としても自然である。

また、「見危授命」を「危機のときには生命を捧げ」というように、特攻隊のような解釈をするのも不自然である。危険を前にして一命を捧げるというような行為は、どうも忠恕ではないように私には思われる。この「危」は「危機のとき」ではなく、「利益性」に対する「危険性」、つまりリスクのことだと考えれば良いと思う。「利益」と「リスク」とを並べて考えるのは、マネジメントの基本である。

また「授命」の「命」を、普通は「いのち」と読むが、先に見た「子、罕に利を言う、命と仁と」をふまえて考えるなら、「利」と共に出てきた「命」は、「めい」と読むべきであろう。それゆえ「見危授命」は、「危を見て、命を授け」と読むべきだと考える。かくしてこの句は、

利を見て義を思い、危《き》を見て命《めい》を授け、

と読み下し、

ものごとの利益の側面を見ると共に、道義の側面を考慮し、更にリスクの側面を見て、(何をすべきかを決定して) 命令を下す

と解釈すべきだと私は考える。これはまことに理にかなった態度である。このように考え

れば、孔子の門下に子貢《しこう》のような商才に富んだ弟子が出た理由がよく理解できる。

†犯と乱

ドラッカーは言う。

「我々の為すべきことは何か」という問いに答えることが、トップ・マネジメントの最重要の仕事である。……しかしマネジメントに携わる人々は、この問を問うことに躊躇する。それには理由がある。最大の理由はこの問が、議論・論争・不一致を惹起するからである。

この問を提起することは常に、トップ・マネジメント集団の間の亀裂と見解の相違とを明るみに出す。永年にわたって協働し、お互いの考えをよく知っていると思い込んでいる人々が、突然、互いに根本的な意見の相違があると認識することは、ショックである。……

それでも確かに、このような相違が公になることは、それ自体が有益である。それは、有効なマネジメントへの重大な一歩である。それは、トップ・マネジメント集団が共にやっていくことを可能にする。なぜなら集団のメンバーが根本的な相互の相違を認識することで、自分の同僚の動機やその行動の理由を、より確実に理解できるようになるからである。逆に、自らの事業の定義に関する意見の相違が、隠蔽されたり、中途半端に放置されたりしていると、個人間の感情のもつれや、意思疎通の不全を引き起こし、そこから生じる苛立ちが、トップ・マネジメント集団の分裂をもたらしてしまう。

「我々の為すべきことは何か」という問をめぐるトップ・マネジメント集団の間の見解の不一致の顕在化が重要であることの理由は、この問には、決して正解などない、からである。この問への答が、何らかの公理や「事実」に基づいた論理的帰結として与えられることは決してない。それには、判断力とかなりの勇気を必要とする。その答が「周知の事実」から導かれることは稀である。この問への回答は、決して、もっともらしさのみに基づいてはならず、拙速に下されてはならず、痛みを伴わずになされてはならない。(pp. 78–79)

この文章から私は、以下のような論語の言葉が響いてくるように感じるのである。

武王曰く、予に亂臣十人あり。

欺くなかれ。而して之を犯せ。
剛・毅・木・訥は仁に近し。
故に君子はこれに名づくれば必らず言うべきなり。これを言えば必らず行うべきなり。
君子、其の言に於いて、苟《いやし》くもする所なきのみ。
唯仁者のみ能く人を好み、能く人を悪む。
君子、勇ありて義なければ亂を爲す。小人、勇ありて義なければ盗を爲す。
君子は和して同ぜず、小人は同じて和せず。

現代の日本社会が、企業といわず、政府といわず、大学といわず、民間組織といわず、ありとあらゆる組織において、耐え難いほどの閉塞感に苦しんでいるのはなぜか。それは制度の問題でも、仕組みの問題でも、法律の問題でも、慣習の問題でも、文化の問題でも、グローバリゼーションの問題でも、途上国の台頭の問題でも、少子高齢化の問題でも、何でもない、と私には思えるのである。それはひとえに我々の社会が君子を欠いており、経営者が小人によって占められているからであり、「和」が失われて「同」と「盗」とに覆いつくされているからではないだろうか。

なぜ君子が欠乏しているのか。

第一の理由は、人材の登用がおかしいことである。「直きを挙げて諸れを枉《まが》れるに錯《お》けば、則ち民服す。枉れるを挙げて諸れを直きに錯けば、則ち民服さず」であり、心の枉れる者をさまざまの組織の指導者に据えていれば、組織が正しく動くはずがない。我々の今の歪んだ社会では、心の直き者が、エリート大学を出てエリート企業や公官庁で出世する可能性など、ほとんどゼロに等しいのではないだろうか。

第二の理由は、君子がそもそも稀なことである。それは「孝弟は、其れ仁の本を爲す」からであり、更に「孝」は「三年之愛」なしには形成されないからである。あまりにも多くの人々が枉れる者によって支配された組織の偽装工作のために日夜働かされ、あまりにも多くの人々が偽装結婚をして幸福の偽装工作をしており、あまりにも多くの人々がその偽装のための手段として子どもを産み、あまりにも多くの子どもが「三年之愛」に恵まれない。

かくして孝弟は姿を消し、それゆえ仁者は現れず、道は廃れ、義は失われ、礼楽は衰え、和は崩れて同となり、盗がはびこる。そうして必然的に、「民の手足を措く所なし」という事態に至る。

子曰、鳳鳥不至、河不出圖、吾已矣夫（子罕第九、九）

子曰く、鳳鳥《ほうちょう》至《いた》らず、河《か》、圖《と》を出《い》ださず、吾已《や》んぬるかな。

人々が孔子に倣ってこのように嘆くのはそのためだと、『論語』は二千数百年の時を越えて、我々に教えてくれているのではなかろうか。

自跋

二〇〇六年の九月に私は、飛行機の乗り換えで上海に一泊した。せっかくなので上海博物館へ行った。その目的は中国の古銭の展示を見ることであったが、あいにく展示の入れ替えのために閉鎖されていた。やむを得ず近くにある玉器の展示を見に行って、私は釘付けになった。

私が惹き寄せられたのは、龍の玉器の一群であった。表示によればこの玉は商（殷）代のものであるという。二五九頁の私が撮った写真では十分にその魅力が伝わらないのだが、この簡潔な彫り物は、今にも動き出しそうであった。玉器は青銅器と違って、作者の彫る手際がそのまま作品となり、しかも硬いので簡単には摩滅しないため、三千年の時を経て、作者の魂の動きが、そのまま感じられるようである。

同じモチーフの玉器が中国ではその後も永く作られているのであるが、不思議なことに、時代が下がるにつれて、龍は徐々に動かなくなっていく。私の感じたところでは、周代・

春秋時代までは龍が躍っているのだが、戦国になると急に動きが固くなる。そして漢代、特に後漢になると龍は死んでしまい、それ以降は人間の作為が前面に出て、単なる龍の形をした複雑な工芸品に成り下がるのである。

私はそれまで「進歩」という概念を、疑いながらも、漠然と受け入れてしまっていた。しかしこの玉器の展示は、私のその浅はかな妄念を打ち砕いてしまった。明らかに、人間が時代と共に衰えていく側面の存在するということを、認めざるを得なかった。

私が気になったのは、なぜ春秋と戦国との間に、深い亀裂があるのか、ということである。それはまさに孔子が活躍した時代と、孟子が活躍した時代とに対応している。そしてまた龍が死ぬ漢代こそは、儒家が官学へと祭り上げられた時代である。龍の玉器の変化は、『論語』の伸びやかさから『孟子』の硬さへ、そして官学の欺瞞と退屈とへの変化にも対応している。

本書で論じたように私は、孔子の教えの本質が、フィードバックと学習とにあり、それは玉器の龍の躍動と同じく、古代においては当然のことだったのだと思う。人間の知性というものは元来、動的で循環的で文脈的なものであるが、それが文字の出現によって固定化され、一方向化され、辞書化され、貶められて行ったのではないだろうか。

孔子という人物は、中華文明において、人間の知性が動的で循環的であった最後の時代

（上海博物館蔵・撮影　安冨歩）

の賢人であり、文字によって固定化される最初の世代に属する弟子や孫弟子が、かろうじてその知性の躍動を書き留めた、その痕跡が『論語』なのではないか。そして、その龍の痕跡がウィーナーという天才との接触によって、二千数百年の眠りから醒めて息を吹き返し、それがサイバネティックスを生み出したのではないか。

私は龍の玉器を眺めながら、そのようなことを感じていた。この感覚が、本書に至る研究を推進する上での、私の基盤となり、指針となった。

宮崎市定は、『論語の新研究』の序文で、「論語の本尊の孔子は、その弟子たちや、これを利用しようとした帝王や、その後の学者たちやらによって、幾重にも厚いカーテンを張りめぐらされ、容易に近づき難い存在になっている……。この十重二十重の障害物を乗りこえて孔子に近付く。それは完全に自由な立場で直接論語の本文を読み直すより外に手はないのだ」と書いた。それはおそらく、荻生徂徠が「古文辞学」という方法を提唱し、註疏を離れて論語の本文を直接読み、全く独自の解釈を『論語徴』として提出した、その日本の儒学の流れの継承であろう。

私は荻生徂徠の解釈にも、また宮崎の解釈にも、さほど賛成しないが、それでも私が本書でやったことは、徂徠や宮崎の挑戦の継承であると感じる。少なくともこのような学問的伝統がなければ、私がこういうことをやろう、と思うことはなかったに違いない。

私は、本書の解釈が、論語の正しい読み方であって、それ以外の解釈は誤りである、などと言うつもりはない。そもそもそんなことを言う資格が私にはない。私が本書でやりたかったことは、私自身に納得のいく方法で、できるだけ論語を内在的にかつ忠実に読み、そのなかから私自身が生きるために必要な知識を見出す、ということである。その読み方が正しいかどうかは、論語の解釈の争いではなく、実際に使ってみて人が生きる上で役に立つかどうかで判断されねばならない。

私がこれまでに書いた幾つかの書物は、その方向の研究の成果である。たとえば、

『生きる技法』青灯社、二〇一一年

は、私が論語の助けを借りて構成した思想を、全く違う角度から再構成したものである。

この書物ではさまざまの思想を足がかりにしてはいるが、論語が特に重要である。

また、

『原発危機と「東大話法」～傍観者の論理・欺瞞の言語』明石書店、二〇一二年

は、原発危機という現実の問題の本質を、「名を正す」という論語の思想を主軸として考察したものである。

あるいは、

『生きるための経済学～〈選択の自由〉からの脱却』NHKブックス、二〇〇八年

『経済学の船出～創発の海へ』NTT出版、二〇一〇年

は、論語の観点から経済現象を眺め直し、そこから経済とは何か、経営とは何か、という問題に取り組んでいる。

また、深尾葉子（大阪大学准教授）と私とが中心となって推進している「魂の脱植民地化」という研究プロジェクトは、論語の精神によって支えられている。東京大学東洋文化

研究所から刊行された以下の三冊の報告書、はその成果である。

「魂の脱植民地化——日本とその周辺諸国のポストコロニアル状況を解消するための歴史学——」『東洋文化』八九号、二〇〇九年三月。
「魂の脱植民地化（2）——「共同体」概念に依拠しない秩序形成の理論歴史学——」『東洋文化』九〇号、二〇一〇年三月。
「魂の脱植民地化（3）——「呪縛」を抜け出す・「箱」の外に出る勇気——」『東洋文化』九二号、二〇一二年三月。

尚、本書には、

安冨歩「論語の論理構造」『東洋文化研究所紀要』第一五二冊、二〇〇七年一二月、五九〜一一八頁、
安冨歩「人間社会の秩序の基盤としての学習——儒家とサイバネティックス——」『東洋文化』九二号、一〜三三頁、二〇一二年、

を再構成して取り込んでいる。

本書に序を書いてくださった橋本秀美教授はかつて、東京大学東洋文化研究所の中国古典関係の准教授であったが、日本に嫌気がさして、北京大学に移られた方である。中華世界の中枢大学の、経学の教授が日本人であるという話を聞けば、伊藤仁斎や荻生徂徠なら狂喜したのではないかと思う。その方から序を頂けたことは、私のような「門外漢」にとってこの上ない喜びである。

橋本教授は二〇〇九年に、『論語』——心の鏡』（岩波書店）を上梓された。論語についての正しい知識や文献の解説を必要とされる方は、ぜひともこちらをお読みいただきたい。橋本教授の指摘するように、論語はまさしく読む者の心を映す鏡なのであって、本書に映しだされているのは、たとえ私がどんなに客観的に考えたつもりでいても、私自身の心なのであろう。

二〇一一年一二月二四日

安冨歩

文献目録

浅野裕一『孔子神話――宗教としての儒教の形成』岩波書店、一九九七年。

ウィトゲンシュタイン『論理哲学論考』野矢茂樹訳、岩波文庫、二〇〇三年。

荻生徂徠著、小川環樹訳注『論語徴（一・二）』平凡社東洋文庫、一九九四年。

貝塚茂樹訳注『論語』中公文庫、一九七三年。

海部岳裕「梁漱溟の理」『東洋文化』九〇号、一八五―二二三頁、二〇一〇年。

加地伸行『儒教とは何か』中公新書、一九九〇年。

加地伸行『論語』講談社学術文庫、二〇〇四年。

金谷治『孔子』講談社学術文庫、一九九〇年。

金谷治訳注『論語』岩波文庫、一九九九年。

金谷治『論語と私』展望社、二〇〇一年。

金谷治訳注『荀子（上・下）』岩波文庫、一九六一～二年。

ガンディー、マハトマ『わたしの非暴力（一・二）』森本達雄訳、みすず書房、一九九七年。

木村英一訳注『論語』講談社文庫、一九七五年。

グリューン、アルノ『人はなぜ憎しみを抱くのか』上田浩二・渡辺真理訳、集英社新書、二〇〇〇五年。

島田虔次『中国における近代思惟の挫折（一・二）』井上進 補注、平凡社東洋文庫、二〇〇三年。

島田虔次『朱子学と陽明学』岩波新書、一九六七年。

白川静『孔子伝』中公文庫、一九九一年。

白川静『新訂　字統（普及版）』平凡社、二〇〇七年。

スミス、アダム『道徳感情論（上・下）』水田洋訳、岩波文庫、二〇〇三年。

銭穆『論語新解』生活・読書・新知三聯書店、二〇〇二年。

堂目卓生『アダム・スミス——『道徳感情論』と『国富論』の世界——』中公新書、二〇〇八年。

平雅行『歴史のなかに見る親鸞』法蔵館、二〇一一年。

俵木浩太郎『孔子と教育〜「好学」とフィロソフィア』みすず書房、一九九〇年。

津田左右吉『論語と孔子の思想』岩波書店、一九四六年。

程樹徳『論語集解』、芸文印書館（台北）、一九六五年。

深尾葉子「魂の脱植民地化とは何か——呪縛・憑依・蓋——」、『東洋文化』八九号、二〇〇九年、九〜四〇頁。

プラトン『メノン』藤沢令夫訳、岩波文庫、一九九四年。

溝口雄三『李卓吾〜正道を歩む異端』（中国の人と思想第十巻）、集英社、一九八五年。

宮崎市定『論語の新研究』岩波書店、一九七四年。

宮崎市定『史記を語る』岩波文庫、一九九六年。

ミラー、アリス『闇からの目覚め～虐待の連鎖を断つ』山下公子訳、新曜社、二〇〇四年。

楊樹達『論語疏證』上海古籍出版社、二〇〇七年。

楊伯峻『論語訳注』中華書局、一九八〇年。

安冨歩『複雑さを生きる～やわらかな制御』岩波書店、二〇〇六年。

安冨歩・本條晴一郎『ハラスメントは連鎖する～「しつけ」「教育」という呪縛』光文社新書、二〇〇七年。

安冨歩「論語の論理構造」『東洋文化研究所紀要』第一五二冊、五九―一一八頁、二〇〇七年。

安冨歩「communis からの離脱」『東洋文化』八九号、一六五―一九二頁、二〇〇九年。

安冨歩『原発危機と「東大話法」～傍観者の論理・欺瞞の言語』明石書店、二〇一二年。

吉川幸次郎『論語』朝日選書、一九九六年。

李贄『焚書　續焚書』中華書局、北京、一九七五年。

劉岸偉『明末の文人李卓吾～中国にとって思想とは何か』中公新書、一九九四年。

梁漱溟『梁漱溟先生講孔孟』上海三聯書店、二〇〇八年。

ルドゥー、ジョセフ『エモーショナル・ブレイン～情動の脳科学』松本元・川村光毅ほか訳、東京大学出版会、二〇〇三年。(Joseph LeDoux, The Emotional Brain: The Mysterious Underpinnings of Emotional Life, Simon & Shuster, 1996 の翻訳。)

渡邊末吾『標註　論語集註』武蔵野書院、一九六六年。

Bateson, Gregory, *Steps to an Ecology of Mind*, The University of Chicago Press, Chicago, 1972.

Drucker, Peter, *Management. Tasks, Resposibilities, Practeces*, New York: Harper Business, 1993 (first published in 1973).

Fingarette, Herbert, *Confucius: The Secular As Sacred*, New York: Harper & Row, 1972.（ハーバート・フィンガレット『論語は問いかける～孔子との対話―』山本和人訳、平凡社、一九八九年〈『孔子～聖としての世俗者』平凡社ライブラリー、一九九四年〉）

Flo Conway, Jim Siegelman, *Dark Hero of the Information Age: In Search of Norbert Wiener, the Father of Cybernetics*, Basic Books, 2005.（コンウェイ、フロー&ジム・シーゲルマン『情報時代の見えないヒーロー　ノーバート・ウィーナー伝』松浦俊輔訳、日系ＢＰ社、二〇〇六年）

Gibson, James Jerome, The ecological approach to visual perception, Boston: Houghton Mifflin, 1979.（J・J・ギブソン『生態学的視覚論～ヒトの知覚世界を探る』古崎敬ほか訳、東京：サイエンス社、一九八五年）

Polanyi, Michael, The Tacit Dimension, Gloucester, Mass.: Peter Smith, 1983.

Weiss, Ursula, 2009. “Colonization and Decolonization Seen from the Viewpoint of Analytical/Jungian Psychology”『東洋文化』八九号、一五五―一六二頁。

Wiener, Norbert, The Human Use of Human Being, Eyre and Spottiswoode, London, 1950 (first edition).（ノーバート・ウィーナー『人間機械論～サイバネティックスと社会』池原止戈夫訳、みすず書房、一九五四年。尚、同書の訳文は非常に優れているが、地の文との整合性を保つために、池原訳を参考にしつつ、安冨が改めて訳した。）
Wiener, Norbert, 1956. *I am a Mathematician: The Later Life of a Prodigy*, The MIT Press: Cambridge, Massachusetts.（ウィーナー、ノーバート『サイバネティックスはいかにして生まれたか』鎮目恭夫訳、みすず書房、一九五六年。訳文は鎮目訳を参照しつつ、安冨が作成。）

ちくま新書
953

生《い》きるための論語《ろんご》

二〇一二年四月一〇日 第一刷発行
二〇二〇年六月 五 日 第三刷発行

著　者　安冨歩（やすとみ・あゆむ）
発行者　喜入冬子
発行所　株式会社 筑摩書房
東京都台東区蔵前二-五-三 郵便番号一一一-八七五五
電話番号〇三-五六八七-二六〇一（代表）
装幀者　間村俊一
印刷・製本　三松堂印刷 株式会社

ISBN978-4-480-06658-9 C0210

ちくま新書

877
現代語訳 論語
齋藤孝訳
学び続けることの中に人生がある。――二千五百年間、読み継がれ、多くの人々の「精神の基準」となった古典中の古典を、生き生きとした訳で現代日本人に届ける。

906
論語力
齋藤孝
学びを通した人生の作り上げ方、社会の中での自分の在り方、本当の合理性、柔軟な対処力――。『論語』の中には、人生に必要なものがすべてである。決定的入門書。

827
現代語訳 論語と算盤
渋沢栄一
守屋淳訳
資本主義の本質を見抜き、日本実業界の礎となった渋沢栄一。経営・労働・人材育成など、利潤と道徳を調和させる経営哲学には、今なすべき指針がつまっている。

265
レヴィ＝ストロース入門
小田亮
若きレヴィ＝ストロースに哲学の道を放棄させ、ブラジル奥地へと駆り立てたものは何か。現代思想に影響を与えた豊かな思考の核心を読み解く構造人類学の冒険。

822
マーケティングを学ぶ
石井淳蔵
市場が成熟化した現代、生活者との関係をどうデザインするかが企業にとって大きな課題となる。著者はここを起点にこれからのマーケティング像を明快に提示する。

886
親鸞
阿満利麿
親鸞が求め、手にした「信心」とはいかなるものか。時代の大転換期において、人間の真のあり様を見据え、新しい救済の物語を創出したこの人の思索の核心を示す。

744
宗教学の名著30
島薗進
哲学、歴史学、文学、社会学、心理学など多領域から宗教理解、理論の諸成果を取り上げ、現代における宗教的なものの意味を問う。深い人間理解へ誘うブックガイド。